Les Femmes savantes

Du même auteur

L'Amour médecin suivi de *Le Sicilien*, Librio n° 1106
George Dandin, Librio n° 1071
Les Précieuses ridicules, Librio n° 776
Le Misanthrope, Librio n° 647
Le Médecin malgré lui, Librio n° 598
Le Malade imaginaire, Librio n° 536
Le Tartuffe, Librio n° 476
L'Avare, Librio n° 339
L'École des Femmes, Librio n° 277
Le Bourgeois gentilhomme, Librio n° 235
Les Fourberies de Scapin, Librio n° 181
Dom Juan, Librio n° 14

Molière

Les Femmes savantes

Librio
Texte intégral

PERSONNAGES

CHRYSALE, bon bourgeois.
PHILAMINTE, femme de Chrysale.
ARMANDE, HENRIETTE, filles de Chrysale et de Philaminte.
ARISTE, frère de Chrysale.
BÉLISE, sœur de Chrysale.
CLITANDRE, amant d'Henriette.
TRISSOTIN, bel esprit.
VADIUS, savant.
MARTINE, servante de cuisine.
L'ÉPINE, laquais.
JULIEN, valet de Vadius.
LE NOTAIRE.

La scène est à Paris.

ACTE PREMIER

SCÈNE I

ARMANDE, HENRIETTE

ARMANDE

Quoi ? le beau nom de fille est un titre, ma sœur,
Dont vous voulez quitter la charmante douceur,
Et de vous marier vous osez faire fête ?
Ce vulgaire dessein vous peut monter en tête ?

HENRIETTE

Oui, ma sœur.

ARMANDE

Ah ! ce « oui » se peut-il supporter,
Et sans un mal de cœur saurait-on l'écouter ?

HENRIETTE

Qu'a donc le mariage en soi qui vous oblige,
Ma sœur... ?

ARMANDE

Ah, mon Dieu ! fi !

HENRIETTE

Comment ?

ARMANDE

Ah, fi ! vous dis-je.
Ne concevez-vous point ce que, dès qu'on l'entend,
Un tel mot à l'esprit offre de dégoûtant ?
De quelle étrange image on est par lui blessée ?
Sur quelle sale vue il traîne la pensée ?
N'en frissonnez-vous point ? et pouvez-vous, ma sœur,
Aux suites de ce mot résoudre votre cœur ?

HENRIETTE

Les suites de ce mot, quand je les envisage,
Me font voir un mari, des enfants, un ménage ;

Et je ne vois rien là, si j'en puis raisonner,
Qui blesse la pensée et fasse frissonner.

ARMANDE

De tels attachements, ô Ciel ! sont pour vous plaire ?

HENRIETTE

Et qu'est-ce qu'à mon âge on a de mieux à faire
Que d'attacher à soi, par le titre d'époux,
Un homme qui vous aime et soit aimé de vous,
Et de cette union, de tendresse suivie,
Se faire les douceurs d'une innocente vie ?
Ce nœud, bien assorti, n'a-t-il pas des appas ?

ARMANDE

Mon Dieu, que votre esprit est d'un étage bas !
Que vous jouez au monde un petit personnage,
De vous claquemurer aux choses du ménage,
Et de n'entrevoir point de plaisirs plus touchants
Qu'un idole d'époux et des marmots d'enfants !
Laissez aux gens grossiers, aux personnes vulgaires,
Les bas amusements de ces sortes d'affaires ;
À de plus hauts objets élevez vos désirs,
Songez à prendre un goût des plus nobles plaisirs,
Et traitant de mépris les sens et la matière,
À l'esprit, comme nous, donnez-vous tout entière.
Vous avez notre mère en exemple à vos yeux,
Que du nom de savante on honore en tous lieux :
Tâchez ainsi que moi de vous montrer sa fille,
Aspirez aux clartés qui sont dans la famille,
Et vous rendez sensible aux charmantes douceurs
Que l'amour de l'étude épanche dans les cœurs ;
Loin d'être aux lois d'un homme en esclave asservie,
Mariez-vous, ma sœur, à la philosophie,
Qui nous monte au-dessus de tout le genre humain,
Et donne à la raison l'empire souverain,
Soumettant à ses lois la partie animale,
Dont l'appétit grossier aux bêtes nous ravale.
Ce sont là les beaux feux, les doux attachements,
Qui doivent de la vie occuper les moments ;

Et les soins où je vois tant de femmes sensibles
Me paraissent aux yeux des pauvretés horribles.

HENRIETTE

Le Ciel, dont nous voyons que l'ordre est tout-puissant,
Pour différents emplois nous fabrique en naissant ;
Et tout esprit n'est pas composé d'une étoffe
Qui se trouve taillée à faire un philosophe.
Si le vôtre est né propre aux élévations
Où montent des savants les spéculations,
Le mien est fait, ma sœur, pour aller terre à terre,
Et dans les petits soins son faible se resserre.
Ne troublons point du ciel les justes règlements,
Et de nos deux instincts suivons les mouvements :
Habitez, par l'essor d'un grand et beau génie,
Les hautes régions de la philosophie,
Tandis que mon esprit, se tenant ici-bas,
Goûtera de l'hymen les terrestres appas.
Ainsi, dans nos desseins l'une à l'autre contraire,
Nous saurons toutes deux imiter notre mère :
Vous, du côté de l'âme et des nobles désirs,
Moi, du côté des sens et des grossiers plaisirs ;
Vous, aux productions d'esprit et de lumière,
Moi, dans celles, ma sœur, qui sont de la matière.

ARMANDE

Quand sur une personne on prétend se régler,
C'est par les beaux côtés qu'il lui faut ressembler ;
Et ce n'est point du tout la prendre pour modèle,
Ma sœur, que de tousser et de cracher comme elle.

HENRIETTE

Mais vous ne seriez pas ce dont vous vous vantez,
Si ma mère n'eût eu que de ces beaux côtés ;
Et bien vous prend, ma sœur, que son noble génie
N'ait pas vaqué toujours à la philosophie.
De grâce, souffrez-moi, par un peu de bonté,
Des bassesses à qui vous devez la clarté ;
Et ne supprimez point, voulant qu'on vous seconde,
Quelque petit savant qui veut venir au monde.

ARMANDE

Je vois que votre esprit ne peut être guéri
Du fol entêtement de vous faire un mari ;
Mais sachons, s'il vous plaît, qui vous songez à prendre ;
Votre visée au moins n'est pas mise à Clitandre ?

HENRIETTE

Et par quelle raison n'y serait-elle pas ?
Manque-t-il de mérite ? est-ce un choix qui soit bas ?

ARMANDE

Non ; mais c'est un dessein qui serait malhonnête,
Que de vouloir d'un autre enlever la conquête ;
Et ce n'est pas un fait dans le monde ignoré
Que Clitandre ait pour moi hautement soupiré.

HENRIETTE

Oui ; mais tous ces soupirs chez vous sont choses vaines,
Et vous ne tombez point aux bassesses humaines ;
Votre esprit à l'hymen renonce pour toujours,
Et la philosophie a toutes vos amours :
Ainsi, n'ayant au cœur nul dessein pour Clitandre,
Que vous importe-t-il qu'on y puisse prétendre ?

ARMANDE

Cet empire que tient la raison sur les sens
Ne fait pas renoncer aux douceurs des encens,
Et l'on peut pour époux refuser un mérite
Que pour adorateur on veut bien à sa suite.

HENRIETTE

Je n'ai pas empêché qu'à vos perfections
Il n'ait continué ses adorations ;
Et je n'ai fait que prendre, au refus de votre âme,
Ce qu'est venu m'offrir l'hommage de sa flamme.

ARMANDE

Mais à l'offre des vœux d'un amant dépité
Trouvez-vous, je vous prie, entière sûreté ?
Croyez-vous pour vos yeux sa passion bien forte,
Et qu'en son cœur pour moi toute flamme soit morte ?

HENRIETTE

Il me le dit, ma sœur, et, pour moi, je le crois.

ARMANDE

Ne soyez pas, ma sœur, d'une si bonne foi,
Et croyez, quand il dit qu'il me quitte et vous aime,
Qu'il n'y songe pas bien et se trompe lui-même.

HENRIETTE

Je ne sais ; mais enfin, si c'est votre plaisir,
Il nous est bien aisé de nous en éclaircir :
Je l'aperçois qui vient, et sur cette matière
Il pourra nous donner une pleine lumière.

SCÈNE II

CLITANDRE, ARMANDE, HENRIETTE

HENRIETTE

Pour me tirer d'un doute où me jette ma sœur,
Entre elle et moi, Clitandre, expliquez votre cœur ;
Découvrez-en le fond, et nous daignez apprendre
Qui de nous à vos vœux est en droit de prétendre.

ARMANDE

Non, non : je ne veux point à votre passion
Imposer la rigueur d'une explication ;
Je ménage les gens, et sais comme embarrasse
Le contraignant effort de ces aveux en face.

CLITANDRE

Non, Madame, mon cœur, qui dissimule peu,
Ne sent nulle contrainte à faire un libre aveu ;
Dans aucun embarras un tel pas ne me jette,
Et j'avouerai tout haut, d'une âme franche et nette,
Que les tendres liens où je suis arrêté,
Mon amour et mes vœux sont tout de ce côté.
Qu'à nulle émotion cet aveu ne vous porte :
Vous avez bien voulu les choses de la sorte.
Vos attraits m'avaient pris, et mes tendres soupirs
Vous ont assez prouvé l'ardeur de mes désirs ;

Mon cœur vous consacrait une flamme immortelle ;
Mais vos yeux n'ont pas cru leur conquête assez belle.
J'ai souffert sous leur joug cent mépris différents,
Ils régnaient sur mon âme en superbes tyrans,
Et je me suis cherché, lassé de tant de peines,
Des vainqueurs plus humains et de moins rudes chaînes :
Je les ai rencontrés, Madame, dans ces yeux,
Et leurs traits à jamais me seront précieux ;
D'un regard pitoyable ils ont séché mes larmes,
Et n'ont pas dédaigné le rebut de vos charmes ;
De si rares bontés m'ont si bien su toucher
Qu'il n'est rien qui me puisse à mes fers arracher ;
Et j'ose maintenant vous conjurer, Madame,
De ne vouloir tenter nul effort sur ma flamme,
De ne point essayer à rappeler un cœur
Résolu de mourir dans cette douce ardeur.

ARMANDE

Eh ! qui vous dit, Monsieur, que l'on ait cette envie,
Et que de vous enfin si fort on se soucie ?
Je vous trouve plaisant de vous le figurer,
Et bien impertinent de me le déclarer.

HENRIETTE

Eh ! doucement, ma sœur. Où donc est la morale
Qui sait si bien régir la partie animale,
Et retenir la bride aux efforts du courroux ?

ARMANDE

Mais vous qui m'en parlez, où la pratiquez-vous,
De répondre à l'amour que l'on vous fait paraître
Sans le congé de ceux qui vous ont donné l'être ?
Sachez que le devoir vous soumet à leurs lois,
Qu'il ne vous est permis d'aimer que par leur choix.
Qu'ils ont sur votre cœur l'autorité suprême,
Et qu'il est criminel d'en disposer vous-même.

HENRIETTE

Je rends grâce aux bontés que vous me faites voir
De m'enseigner si bien les choses du devoir ;
Mon cœur sur vos leçons veut régler sa conduite ;

Et pour vous faire voir, ma sœur, que j'en profite,
Clitandre, prenez soin d'appuyer votre amour
De l'agrément de ceux dont j'ai reçu le jour ;
Faites-vous sur mes vœux un pouvoir légitime,
Et me donnez moyen de vous aimer sans crime.

CLITANDRE

J'y vais de tous mes soins travailler hautement,
Et j'attendais de vous ce doux consentement.

ARMANDE

Vous triomphez, ma sœur, et faites une mine
À vous imaginer que cela me chagrine.

HENRIETTE

Moi, ma sœur, point du tout : je sais que sur vos sens
Les droits de la raison sont toujours tout-puissants ;
Et que par les leçons qu'on prend dans la sagesse,
Vous êtes au-dessus d'une telle faiblesse.
Loin de vous soupçonner d'aucun chagrin, je crois
Qu'ici vous daignerez vous employer pour moi,
Appuyer sa demande, et de votre suffrage
Presser l'heureux moment de notre mariage.
Je vous en sollicite ; et pour y travailler…

ARMANDE

Votre petit esprit se mêle de railler,
Et d'un cœur qu'on vous jette on vous voit toute fière.

HENRIETTE

Tout jeté qu'est ce cœur, il ne vous déplaît guère ;
Et si vos yeux sur moi le pouvaient ramasser,
Ils prendraient aisément le soin de se baisser.

ARMANDE

À répondre à cela je ne daigne descendre,
Et ce sont sots discours qu'il ne faut pas entendre.

HENRIETTE

C'est fort bien fait à vous, et vous nous faites voir
Des modérations qu'on ne peut concevoir.

SCÈNE III

CLITANDRE, HENRIETTE

HENRIETTE

Votre sincère aveu ne l'a pas peu surprise.

CLITANDRE

Elle mérite assez une telle franchise,
Et toutes les hauteurs de sa folle fierté
Sont dignes tout au moins de ma sincérité.
Mais puisqu'il m'est permis, je vais à votre père,
Madame…

HENRIETTE

Le plus sûr est de gagner ma mère :
Mon père est d'une humeur à consentir à tout,
Mais il met peu de poids aux choses qu'il résout ;
Il a reçu du Ciel certaine bonté d'âme,
Qui le soumet d'abord à ce que veut sa femme ;
C'est elle qui gouverne, et d'un ton absolu
Elle dicte pour loi ce qu'elle a résolu.
Je voudrais bien vous voir pour elle, et pour ma tante,
Une âme, je l'avoue, un peu plus complaisante,
Un esprit qui, flattant les visions du leur,
Vous pût de leur estime attirer la chaleur.

CLITANDRE

Mon cœur n'a jamais pu, tant il est né sincère,
Même dans votre sœur flatter leur caractère,
Et les femmes docteurs ne sont point de mon goût.
Je consens qu'une femme ait des clartés de tout ;
Mais je ne lui veux point la passion choquante
De se rendre savante afin d'être savante ;
Et j'aime que souvent, aux questions qu'on fait,
Elle sache ignorer les choses qu'elle sait ;
De son étude enfin je veux qu'elle se cache,
Et qu'elle ait du savoir sans vouloir qu'on le sache,
Sans citer les auteurs, sans dire de grands mots,
Et clouer de l'esprit à ses moindres propos.
Je respecte beaucoup Madame votre mère ;

Mais je ne puis du tout approuver sa chimère,
Et me rendre l'écho des choses qu'elle dit,
Aux encens qu'elle donne à son héros d'esprit.
Son Monsieur Trissotin me chagrine, m'assomme,
Et j'enrage de voir qu'elle estime un tel homme,
Qu'elle nous mette au rang des grands et beaux esprits
Un benêt dont partout on siffle les écrits,
Un pédant dont on voit la plume libérale,
D'officieux papiers fournir toute la halle.

HENRIETTE

Ses écrits, ses discours, tout m'en semble ennuyeux,
Et je me trouve assez votre goût et vos yeux ;
Mais, comme sur ma mère il a grande puissance,
Vous devez vous forcer à quelque complaisance.
Un amant fait sa cour où s'attache son cœur,
Il veut de tout le monde y gagner la faveur ;
Et, pour n'avoir personne à sa flamme contraire
Jusqu'au chien du logis il s'efforce de plaire.

CLITANDRE

Oui, vous avez raison ; mais Monsieur Trissotin
M'inspire au fond de l'âme un dominant chagrin.
Je ne puis consentir, pour gagner ses suffrages,
À me déshonorer en prisant ses ouvrages ;
C'est par eux qu'à mes yeux il a d'abord paru,
Et je le connaissais avant que l'avoir vu.
Je vis, dans le fatras des écrits qu'il nous donne,
Ce qu'étale en tous lieux sa pédante personne :
La constante hauteur de sa présomption,
Cette intrépidité de bonne opinion,
Cet indolent état de confiance extrême
Qui le rend en tout temps si content de soi-même,
Qui fait qu'à son mérite incessamment il rit,
Qu'il se sait si bon gré de tout ce qu'il écrit,
Et qu'il ne voudrait pas changer sa renommée
Contre tous les honneurs d'un général d'armée.

HENRIETTE

C'est avoir de bons yeux que de voir tout cela.

CLITANDRE

Jusques à sa figure encor la chose alla,
Et je vis par les vers qu'à la tête il nous jette
De quel air il fallait que fût fait le poète ;
Et j'en avais si bien deviné tous les traits
Que rencontrant un homme un jour dans le Palais,
Je gageai que c'était Trissotin en personne,
Et je vis qu'en effet la gageure était bonne.

HENRIETTE

Quel conte !

CLITANDRE

Non ; je dis la chose comme elle est.
Mais je vois votre tante. Agréez, s'il vous plaît,
Que mon cœur lui déclare ici notre mystère,
Et gagne sa faveur auprès de votre mère.

SCÈNE IV

CLITANDRE, BÉLISE

CLITANDRE

Souffrez, pour vous parler, Madame, qu'un amant
Prenne l'occasion de cet heureux moment,
Et se découvre à vous de la sincère flamme…

BÉLISE

Ah ! tout beau, gardez-vous de m'ouvrir trop votre âme :
Si je vous ai su mettre au rang de mes amants,
Contentez-vous des yeux pour vos seuls truchements,
Et ne m'expliquez point par un autre langage
Des désirs qui chez moi passent pour un outrage ;
Aimez-moi, soupirez, brûlez pour mes appas,
Mais qu'il me soit permis de ne le savoir pas :
Je puis fermer les yeux sur vos flammes secrètes,
Tant que vous vous tiendrez aux muets interprètes ;
Mais si la bouche vient à s'en vouloir mêler,
Pour jamais de ma vue il vous faut exiler.

CLITANDRE

Des projets de mon cœur ne prenez point d'alarme :
Henriette, Madame, est l'objet qui me charme,
Et je viens ardemment conjurer vos bontés
De seconder l'amour que j'ai pour ses beautés.

BÉLISE

Ah ! certes le détour est d'esprit, je l'avoue :
Ce subtil faux-fuyant mérite qu'on le loue,
Et, dans tous les romans où j'ai jeté les yeux,
Je n'ai rien rencontré de plus ingénieux.

CLITANDRE

Ceci n'est point du tout un trait d'esprit, Madame,
Et c'est un pur aveu de ce que j'ai dans l'âme.
Lés Cieux, par les liens d'une immuable ardeur,
Aux beautés d'Henriette ont attaché mon cœur ;
Henriette me tient sous son aimable empire,
Et l'hymen d'Henriette est le bien où j'aspire :
Vous y pouvez beaucoup, et tout ce que je veux,
C'est que vous y daigniez favoriser mes vœux.

BÉLISE

Je vois où doucement veut aller la demande,
Et je sais sous ce nom ce qu'il faut que j'entende ;
La figure est adroite, et, pour n'en point sortir
Aux choses que mon cœur m'offre à vous repartir,
Je dirai qu'Henriette à l'hymen est rebelle,
Et que sans rien prétendre il faut brûler pour elle.

CLITANDRE

Eh ! Madame, à quoi bon un pareil embarras,
Et pourquoi voulez-vous penser ce qui n'est pas ?

BÉLISE

Mon Dieu ! point de façons ; cessez de vous défendre
De ce que vos regards m'ont souvent fait entendre :
Il suffit que l'on est contente du détour
Dont s'est adroitement avisé votre amour,
Et que, sous la figure où le respect l'engage,
On veut bien se résoudre à souffrir son hommage,

Pourvu que ses transports, par l'honneur éclairés,
N'offrent à mes autels que des vœux épurés.

CLITANDRE

Mais…

BÉLISE

Adieu, pour ce coup, ceci doit vous suffire,
Et je vous ai plus dit que je ne voulais dire.

CLITANDRE

Mais votre erreur…

BÉLISE

Laissez, je rougis maintenant,
Et ma pudeur s'est fait un effort surprenant.

CLITANDRE

Je veux être pendu si je vous aime, et sage…

BÉLISE

Non, non, je ne veux rien entendre davantage.

CLITANDRE

Diantre soit de la folle avec ses visions !
A-t-on rien vu d'égal à ces préventions ?
Allons commettre un autre au soin que l'on me donne,
Et prenons le secours d'une sage personne.

ACTE II

SCÈNE I

ARISTE

Oui, je vous porterai la réponse au plus tôt ;
J'appuierai, presserai, ferai tout ce qu'il faut.
Qu'un amant, pour un mot, a de choses à dire !
Et qu'impatiemment il veut ce qu'il désire !
Jamais…

SCÈNE II

CHRYSALE, ARISTE

ARISTE

Ah ! Dieu vous gard', mon frère !

CHRYSALE

Et vous aussi,
Mon frère.

ARISTE

Savez-vous ce qui m'amène ici ?

CHRYSALE

Non ; mais, si vous voulez, je suis prêt à l'apprendre.

ARISTE

Depuis assez longtemps vous connaissez Clitandre ?

CHRYSALE

Sans doute, et je le vois qui fréquente chez nous.

ARISTE

En quelle estime est-il, mon frère, auprès de vous ?

CHRYSALE

D'homme d'honneur, d'esprit, de cœur, et de conduite ;
Et je vois peu de gens qui soient de son mérite.

ARISTE

Certain désir qu'il a conduit ici mes pas,
Et je me réjouis que vous en fassiez cas.

CHRYSALE

Je connus feu son père en mon voyage à Rome.

ARISTE

Fort bien.

CHRYSALE

C'était, mon frère, un fort bon gentilhomme.

ARISTE

On le dit.

CHRYSALE

Nous n'avions alors que vingt-huit ans,
Et nous étions, ma foi ! tous deux de verts galants.

ARISTE

Je le crois.

CHRYSALE

Nous donnions chez les dames romaines,
Et tout le monde là parlait de nos fredaines :
Nous faisions des jaloux.

ARISTE

Voilà qui va des mieux.
Mais venons au sujet qui m'amène en ces lieux.

SCÈNE III

BÉLISE, CHRYSALE, ARISTE

ARISTE

Clitandre auprès de vous me fait son interprète,
Et son cœur est épris des grâces d'Henriette.

CHRYSALE

Quoi, de ma fille ?

ARISTE

Oui, Clitandre en est charmé,
Et je ne vis jamais amant plus enflammé.

BÉLISE

Non, non : je vous entends, vous ignorez l'histoire,
Et l'affaire n'est pas ce que vous pouvez croire.

ARISTE

Comment, ma sœur ?

BÉLISE

Clitandre abuse vos esprits,
Et c'est d'un autre objet que son cœur est épris.

ARISTE

Vous raillez. Ce n'est pas Henriette qu'il aime ?

BÉLISE

Non ; j'en suis assurée.

ARISTE

Il me l'a dit lui-même.

BÉLISE

Eh, oui !

ARISTE

Vous me voyez, ma sœur, chargé par lui
D'en faire la demande à son père aujourd'hui.

BÉLISE

Fort bien.

ARISTE

Et son amour même m'a fait instance
De presser les moments d'une telle alliance.

BÉLISE

Encor mieux. On ne peut tromper plus galamment.
Henriette, entre nous, est un amusement,
Un voile ingénieux, un prétexte, mon frère,
À couvrir d'autres feux, dont je sais le mystère ;
Et je veux bien tous deux vous mettre hors d'erreur.

ARISTE

Mais, puisque vous savez tant de choses, ma sœur,
Dites-nous, s'il vous plaît, cet autre objet qu'il aime.

BÉLISE

Vous le voulez savoir ?

ARISTE

Oui. Quoi ?

BÉLISE

Moi.

ARISTE

Vous ?

BÉLISE

Moi-même.

ARISTE

Hay, ma sœur !

BÉLISE

Qu'est-ce donc que veut dire ce « hay »,
Et qu'a de surprenant le discours que je fais ?
On est faite d'un air, je pense, à pouvoir dire
Qu'on n'a pas pour un cœur soumis à son empire ;
Et Dorante, Damis, Cléonte et Lycidas
Peuvent bien faire voir qu'on a quelques appas.

ARISTE

Ces gens vous aiment ?

BÉLISE

Oui, de toute leur puissance.

ARISTE

Ils vous l'ont dit ?

BÉLISE

Aucun n'a pris cette licence :
Ils m'ont su révérer si fort jusqu'à ce jour
Qu'ils ne m'ont jamais dit un mot de leur amour ;
Mais pour m'offrir leur cœur et vouer leur service,
Les muets truchements ont tous fait leur office.

ARISTE

On ne voit presque point céans venir Damis.

BÉLISE

C'est pour me faire voir un respect plus soumis.

ARISTE

De mots piquants partout Dorante vous outrage.

BÉLISE

Ce sont emportements d'une jalouse rage.

ARISTE

Cléonte et Lycidas ont pris femme tous deux.

BÉLISE

C'est par un désespoir où j'ai réduit leurs feux.

ARISTE

Ma foi ! ma chère sœur, vision toute claire.

CHRYSALE

De ces chimères-là vous devez vous défaire.

BÉLISE

Ah, chimères ! ce sont des chimères, dit-on !
Chimères, moi ! Vraiment chimères est fort bon !
Je me réjouis fort de chimères, mes frères,
Et je ne savais pas que j'eusse des chimères.

SCÈNE IV

CHRYSALE, ARISTE

CHRYSALE

Notre sœur est folle, oui.

ARISTE

Cela croît tous les jours.
Mais, encore une fois, reprenons le discours.
Clitandre vous demande Henriette pour femme :
Voyez quelle réponse on doit faire à sa flamme.

CHRYSALE

Faut-il le demander ? J'y consens de bon cœur,
Et tiens son alliance à singulier honneur.

ARISTE

Vous savez que de bien il n'a pas l'abondance,
Que…

CHRYSALE

C'est un intérêt qui n'est pas d'importance :
Il est riche en vertu, cela vaut des trésors,
Et puis son père et moi n'étions qu'un en deux corps.

ARISTE

Parlons à votre femme, et voyons à la rendre
Favorable…

CHRYSALE

Il suffit : je l'accepte pour gendre.

ARISTE

Oui ; mais pour appuyer votre consentement,
Mon frère, il n'est pas mal d'avoir son agrément ;
Allons…

CHRYSALE

Vous moquez-vous ? Il n'est pas nécessaire :
Je réponds de ma femme, et prends sur moi l'affaire.

ARISTE

Mais…

CHRYSALE

Laissez faire, dis-je, et n'appréhendez pas :
Je la vais disposer aux choses de ce pas.

ARISTE

Soit. Je vais là-dessus sonder votre Henriette,
Et reviendrai savoir…

CHRYSALE

C'est une affaire faite,
Et je vais à ma femme en parler sans délai.

SCÈNE V

MARTINE, CHRYSALE

MARTINE

Me voilà bien chanceuse ! Hélas ! l'on dit bien vrai
Qui veut noyer son chien l'accuse de la rage,
Et service d'autrui n'est pas un héritage.

CHRYSALE

Qu'est-ce donc ? Qu'avez-vous, Martine ?

MARTINE

Ce que j'ai ?

CHRYSALE

Oui.

MARTINE

J'ai que l'an me donne aujourd'hui mon congé,
Monsieur.

CHRYSALE

Votre congé !

MARTINE

Oui, Madame me chasse.

CHRYSALE

Je n'entends pas cela. Comment ?

MARTINE

On me menace,
Si je ne sors d'ici, de me bailler cent coups.

CHRYSALE

Non, vous demeurerez : je suis content de vous.
Ma femme bien souvent a la tête un peu chaude,
Et je ne veux pas, moi...

SCÈNE VI

PHILAMINTE, BÉLISE, CHRYSALE, MARTINE

PHILAMINTE

Quoi ? je vous vois, maraude ?
Vite, sortez, friponne ; allons, quittez ces lieux,
Et ne vous présentez jamais devant mes yeux.

CHRYSALE

Tout doux.

PHILAMINTE

Non, c'en est fait.

CHRYSALE

Eh !

PHILAMINTE

Je veux qu'elle sorte.

CHRYSALE

Mais qu'a-t-elle commis, pour vouloir de la sorte…

PHILAMINTE

Quoi ? vous la soutenez ?

CHRYSALE

En aucune façon.

PHILAMINTE

Prenez-vous son parti contre moi ?

CHRYSALE

Mon Dieu ! non :
Je ne fais seulement que demander son crime.

PHILAMINTE

Suis-je pour la chasser sans cause légitime ?

CHRYSALE

Je ne dis pas cela ; mais il faut de nos gens…

PHILAMINTE

Non ; elle sortira, vous dis-je, de céans.

CHRYSALE

Hé bien ! oui : vous dit-on quelque chose là contre ?

PHILAMINTE

Je ne veux point d'obstacle aux désirs que je montre.

CHRYSALE

D'accord.

PHILAMINTE

Et vous devez, en raisonnable époux,
Être pour moi contre elle, et prendre mon courroux.

CHRYSALE

Aussi fais-je. Oui, ma femme avec raison vous chasse,
Coquine, et votre crime est indigne de grâce.

MARTINE

Qu'est-ce donc que j'ai fait ?

CHRYSALE

Ma foi ! je ne sais pas.

PHILAMINTE

Elle est d'humeur encore à n'en faire aucun cas.

CHRYSALE

A-t-elle, pour donner matière à votre haine,
Cassé quelque miroir ou quelque porcelaine ?

PHILAMINTE

Voudrais-je la chasser, et vous figurez-vous
Que pour si peu de chose on se mette en courroux ?

CHRYSALE

Qu'est-ce à dire ? L'affaire est donc considérable ?

PHILAMINTE

Sans doute. Me voit-on femme déraisonnable ?

CHRYSALE

Est-ce qu'elle a laissé, d'un esprit négligent,
Dérober quelque aiguière ou quelque plat d'argent ?

PHILAMINTE

Cela ne serait rien.

CHRYSALE

Oh, oh ! peste, la belle !
Quoi ? l'avez-vous surprise à n'être pas fidèle ?

PHILAMINTE

C'est pis que tout cela.

CHRYSALE

Pis que tout cela ?

PHILAMINTE

Pis.

CHRYSALE

Comment diantre, friponne ! Euh ? a-t-elle commis...

PHILAMINTE

Elle a, d'une insolence à nulle autre pareille,
Après trente leçons, insulté mon oreille
Par l'impropriété d'un mot sauvage et bas
Qu'en termes décisifs condamne Vaugelas.

CHRYSALE

Est-ce là...

PHILAMINTE

Quoi ? toujours, malgré nos remontrances,
Heurter le fondement de toutes les sciences,
La grammaire, qui sait régenter jusqu'aux rois,
Et les fait la main haute obéir à ses lois ?

CHRYSALE

Du plus grand des forfaits je la croyais coupable.

PHILAMINTE

Quoi ? Vous ne trouvez pas ce crime impardonnable ?

CHRYSALE

Si fait.

PHILAMINTE

Je voudrais bien que vous l'excusassiez.

CHRYSALE

Je n'ai garde.

BÉLISE

Il est vrai que ce sont des pitiés :
Toute construction est par elle détruite,
Et des lois du langage on l'a cent fois instruite.

MARTINE

Tout ce que vous prêchez est, je crois, bel et bon ;
Mais je ne saurais, moi, parler votre jargon.

PHILAMINTE

L'impudente ! appeler un jargon le langage
Fondé sur la raison et sur le bel usage !

MARTINE

Quand on se fait entendre, on parle toujours bien,
Et tous vos biaux dictons ne servent pas de rien.

PHILAMINTE

Hé bien ! ne voilà pas encore de son style ?
Ne servent pas de rien !

BÉLISE

Ô cervelle indocile !
Faut-il qu'avec les soins qu'on prend incessamment,
On ne te puisse apprendre à parler congrûment ?
De *pas* mis avec *rien* tu fais la récidive,
Et c'est, comme on t'a dit, trop d'une négative.

MARTINE

Mon Dieu ! je n'avons pas étugué comme vous,
Et je parlons tout droit comme on parle cheux nous.

PHILAMINTE

Ah ! peut-on y tenir ?

BÉLISE

Quel solécisme horrible !

PHILAMINTE

En voilà pour tuer une oreille sensible.

BÉLISE

Ton esprit, je l'avoue, est bien matériel.
Je n'est qu'un singulier, *avons* est pluriel.
Veux-tu toute ta vie offenser la grammaire ?

MARTINE

Qui parle d'offenser grand-mère ni grand-père ?

PHILAMINTE

Ô Ciel !
Grammaire est prise à contresens par toi,
Et je t'ai dit déjà d'où vient ce mot.

MARTINE

Ma foi !
Qu'il vienne de Chaillot, d'Auteuil, ou de Pontoise,
Cela ne me fait rien.

BÉLISE

Quelle âme villageoise !
La grammaire, du verbe et du nominatif,
Comme de l'adjectif avec le substantif,
Nous enseigne les lois.

MARTINE

J'ai, Madame, à vous dire
Que je ne connais point ces gens-là.

PHILAMINTE

Quel martyre !

BÉLISE

Ce sont les noms des mots, et l'on doit regarder
En quoi c'est qu'il les faut faire ensemble accorder.

MARTINE

Qu'ils s'accordent entre eux, ou se gourment, qu'importe ?

PHILAMINTE, *à sa sœur.*

Eh ! mon Dieu ! finissez un discours de la sorte.
(À son mari.)
Vous ne voulez pas, vous, me la faire sortir ?

CHRYSALE

Si fait. À son caprice il me faut consentir.
Va, ne l'irrite point : retire-toi, Martine.

PHILAMINTE

Comment ? vous avez peur d'offenser la coquine ?
Vous lui parlez d'un ton tout à fait obligeant ?

CHRYSALE

Moi ? point. Allons, sortez. *(Bas.)* Va-t'en, ma pauvre enfant.

SCÈNE VII

PHILAMINTE, CHRYSALE, BÉLISE

CHRYSALE

Vous êtes satisfaite, et la voilà partie ;
Mais je n'approuve point une telle sortie ;
C'est une fille propre aux choses qu'elle fait,
Et vous me la chassez pour un maigre sujet.

PHILAMINTE

Vous voulez que toujours je l'aie à mon service
Pour mettre incessamment mon oreille au supplice ?
Pour rompre toute loi d'usage et de raison,
Par un barbare amas de vices d'oraison,
De mots estropiés, cousus par intervalles,
De proverbes traînés dans les ruisseaux des Halles ?

BÉLISE

Il est vrai que l'on sue à souffrir ses discours :
Elle y met Vaugelas en pièces tous les jours ;
Et les moindres défauts de ce grossier génie
Sont ou le pléonasme, ou la cacophonie.

CHRYSALE

Qu'importe qu'elle manque aux lois de Vaugelas,
Pourvu qu'à la cuisine elle ne manque pas ?
J'aime bien mieux, pour moi, qu'en épluchant ses herbes,
Elle accommode mal les noms avec les verbes,
Et redise cent fois un bas ou méchant mot,
Que de brûler ma viande, ou saler trop mon pot.

Je vis de bonne soupe, et non de beau langage.
Vaugelas n'apprend point à bien faire un potage ;
Et Malherbe et Balzac, si savants en beaux mots,
En cuisine peut-être auraient été des sots.

PHILAMINTE

Que ce discours grossier terriblement assomme !
Et quelle indignité pour ce qui s'appelle homme
D'être baissé sans cesse aux soins matériels,
Au lieu de se hausser vers les spirituels !
Le corps, cette guenille, est-il d'une importance,
D'un prix à mériter seulement qu'on y pense,
Et ne devons-nous pas laisser cela bien loin ?

CHRYSALE

Oui, mon corps est moi-même, et j'en veux prendre soin.
Guenille si l'on veut, ma guenille m'est chère.

BÉLISE

Le corps avec l'esprit fait figure, mon frère ;
Mais si vous en croyez tout le monde savant,
L'esprit doit sur le corps prendre le pas devant ;
Et notre plus grand soin, notre première instance,
Doit être à le nourrir du suc de la science.

CHRYSALE

Ma foi ! si vous songez à nourrir votre esprit,
C'est de viande bien creuse, à ce que chacun dit,
Et vous n'avez nul soin, nulle sollicitude
Pour...

PHILAMINTE

Ah ! *sollicitude* à mon oreille est rude :
Il pue étrangement son ancienneté.

BÉLISE

Il est vrai que le mot est bien collet monté.

CHRYSALE

Voulez-vous que je dise ? il faut qu'enfin j'éclate,
Que je lève le masque, et décharge ma rate :
De folles on vous traite, et j'ai fort sur le cœur...

PHILAMINTE

Comment donc ?

CHRYSALE

C'est à vous que je parle, ma sœur.
Le moindre solécisme en parlant vous irrite ;
Mais vous en faites, vous, d'étranges en conduite.
Vos livres éternels ne me contentent pas,
Et hors un gros Plutarque à mettre mes rabats,
Vous devriez brûler tout ce meuble inutile,
Et laisser la science aux docteurs de la ville ;
M'ôter, pour faire bien, du grenier de céans
Cette longue lunette à faire peur aux gens,
Et cent brimborions dont l'aspect importune ;
Ne point aller chercher ce qu'on fait dans la lune,
Et vous mêler un peu de ce qu'on fait chez vous,
Où nous voyons aller tout sens dessus dessous.
Il n'est pas bien honnête, et pour beaucoup de causes,
Qu'une femme étudie et sache tant de choses.
Former aux bonnes mœurs l'esprit de ses enfants,
Faire aller son ménage, avoir l'œil sur ses gens,
Et régler la dépense avec économie,
Doit être son étude et sa philosophie.
Nos pères sur ce point étaient gens bien sensés,
Qui disaient qu'une femme en sait toujours assez
Quand la capacité de son esprit se hausse
À connaître un pourpoint d'avec un haut-de-chausses.
Les leurs ne lisaient point, mais elles vivaient bien ;
Leurs ménages étaient tout leur docte entretien,
Et leurs livres un dé, du fil et des aiguilles,
Dont elles travaillaient au trousseau de leurs filles.
Les femmes d'à présent sont bien loin de ces mœurs :
Elles veulent écrire, et devenir auteurs.
Nulle science n'est pour elles trop profonde,
Et céans beaucoup plus qu'en aucun lieu du monde :
Les secrets les plus hauts s'y laissent concevoir,
Et l'on sait tout chez moi, hors ce qu'il faut savoir ;
On y sait comme vont lune, étoile polaire,
Vénus, Saturne et Mars, dont je n'ai point affaire ;

Et, dans ce vain savoir, qu'on va chercher si loin,
On ne sait comme va mon pot, dont j'ai besoin.
Mes gens à la science aspirent pour vous plaire,
Et tous ne font rien moins que ce qu'ils ont à faire ;
Raisonner est l'emploi de toute ma maison,
Et le raisonnement en bannit la raison :
L'un me brûle mon rôt en lisant quelque histoire ;
L'autre rêve à des vers quand je demande à boire ;
Enfin je vois par eux votre exemple suivi,
Et j'ai des serviteurs, et ne suis point servi.
Une pauvre servante au moins m'était restée,
Qui de ce mauvais air n'était point infectée,
Et voilà qu'on la chasse avec un grand fracas,
À cause qu'elle manque à parler Vaugelas.
Je vous le dis, ma sœur, tout ce train-là me blesse
(Car c'est, comme j'ai dit, à vous que je m'adresse),
Je n'aime point céans tous vos gens à latin,
Et principalement ce Monsieur Trissotin :
C'est lui qui dans des vers vous a tympanisées ;
Tous les propos qu'il tient sont des billevesées ;
On cherche ce qu'il dit après qu'il a parlé,
Et je lui crois, pour moi, le timbre un peu fêlé.

PHILAMINTE

Quelle bassesse, ô Ciel ! et d'âme, et de langage !

BÉLISE

Est-il de petits corps un plus lourd assemblage !
Un esprit composé d'atomes plus bourgeois !
Et de ce même sang se peut-il que je sois !
Je me veux mal de mort d'être de votre race,
Et de confusion j'abandonne la place.

SCÈNE VIII

PHILAMINTE, CHRYSALE

PHILAMINTE

Avez-vous à lâcher encore quelque trait ?

CHRYSALE

Moi ? Non. Ne parlons plus de querelle : c'est fait.
Discourons d'autre affaire. À votre fille aînée
On voit quelque dégoût pour les nœuds d'hyménée :
C'est une philosophe enfin, je n'en dis rien,
Elle est bien gouvernée, et vous faites fort bien.
Mais de tout autre humeur se trouve sa cadette,
Et je crois qu'il est bon de pourvoir Henriette,
De choisir un mari…

PHILAMINTE

C'est à quoi j'ai songé,
Et je veux vous ouvrir l'intention que j'ai.
Ce Monsieur Trissotin dont on nous fait un crime,
Et qui n'a pas l'honneur d'être dans votre estime,
Est celui que je prends pour l'époux qu'il lui faut,
Et je sais mieux que vous juger de ce qu'il vaut :
La contestation est ici superflue,
Et de tout point chez moi l'affaire est résolue.
Au moins ne dites mot du choix de cet époux :
Je veux à votre fille en parler avant vous ;
J'ai des raisons à faire approuver ma conduite,
Et je connaîtrai bien si vous l'aurez instruite.

SCÈNE IX

ARISTE, CHRYSALE

ARISTE

Hé bien ? la femme sort, mon frère, et je vois bien
Que vous venez d'avoir ensemble un entretien.

CHRYSALE

Oui.

ARISTE

Quel est le succès ? Aurons-nous Henriette ?
A-t-elle consenti ? L'affaire est-elle faite ?

CHRYSALE

Pas tout à fait encor.

ARISTE

Refuse-t-elle ?

CHRYSALE

Non.

ARISTE

Est-ce qu'elle balance ?

CHRYSALE

En aucune façon.

ARISTE

Quoi donc ?

CHRYSALE

C'est que pour gendre elle m'offre un autre homme.

ARISTE

Un autre homme pour gendre !

CHRYSALE

Un autre.

ARISTE

Qui se nomme ?

CHRYSALE

Monsieur Trissotin.

ARISTE

Quoi ? ce Monsieur Trissotin…

CHRYSALE

Oui, qui parle toujours de vers et de latin.

ARISTE

Vous l'avez accepté ?

CHRYSALE

Moi, point, à Dieu ne plaise.

ARISTE

Qu'avez-vous répondu ?

CHRYSALE

Rien ; et je suis bien aise
De n'avoir point parlé, pour ne m'engager pas.

ARISTE

La raison est fort belle, et c'est faire un grand pas.
Avez-vous su du moins lui proposer Clitandre ?

CHRYSALE

Non ; car, comme j'ai vu qu'on parlait d'autre gendre,
J'ai cru qu'il était mieux de ne m'avancer point.

ARISTE

Certes votre prudence est rare au dernier point !
N'avez-vous point de honte avec votre mollesse ?
Et se peut-il qu'un homme ait assez de faiblesse
Pour laisser à sa femme un pouvoir absolu,
Et n'oser attaquer ce qu'elle a résolu ?

CHRYSALE

Mon Dieu ! vous en parlez, mon frère, bien à l'aise,
Et vous ne savez pas comme le bruit me pèse.
J'aime fort le repos, la paix, et la douceur,
Et ma femme est terrible avecque son humeur.
Du nom de philosophe elle fait grand mystère ;
Mais elle n'en est pas pour cela moins colère ;
Et sa morale, faite à mépriser le bien,
Sur l'aigreur de sa bile opère comme rien.
Pour peu que l'on s'oppose à ce que veut sa tête,
On en a pour huit jours d'effroyable tempête.
Elle me fait trembler dès qu'elle prend son ton ;
Je ne sais où me mettre, et c'est un vrai dragon ;
Et cependant, avec toute sa diablerie,
Il faut que je l'appelle et « mon cœur » et « ma mie ».

ARISTE

Allez, c'est se moquer. Votre femme, entre nous,
Est par vos lâchetés souveraine sur vous.
Son pouvoir n'est fondé que sur votre faiblesse,
C'est de vous qu'elle prend le titre de maîtresse ;
Vous-même à ses hauteurs vous vous abandonnez,

Et vous faites mener en bête par le nez.
Quoi ? vous ne pouvez pas, voyant comme on vous nomme,
Vous résoudre une fois à vouloir être un homme ?
À faire condescendre une femme à vos vœux,
Et prendre assez de cœur pour dire un : « Je le veux » ?
Vous laisserez sans honte immoler votre fille
Aux folles visions qui tiennent la famille,
Et de tout votre bien revêtir un nigaud,
Pour six mots de latin qu'il leur fait sonner haut,
Un pédant qu'à tous coups votre femme apostrophe
Du nom de bel esprit, et de grand philosophe,
D'homme qu'en vers galants jamais on n'égala,
Et qui n'est, comme on sait, rien moins que tout cela ?
Allez, encore un coup, c'est une moquerie,
Et votre lâcheté mérite qu'on en rie.

CHRYSALE

Oui, vous avez raison, et je vois que j'ai tort.
Allons, il faut enfin montrer un cœur plus fort,
Mon frère.

ARISTE

C'est bien dit.

CHRYSALE

C'est une chose infâme
Que d'être si soumis au pouvoir d'une femme.

ARISTE

Fort bien.

CHRYSALE

De ma douceur elle a trop profité.

ARISTE

Il est vrai.

CHRYSALE

Trop joui de ma facilité.

ARISTE

Sans doute.

CHRYSALE

Et je lui veux faire aujourd'hui connaître
Que ma fille est ma fille, et que j'en suis le maître
Pour lui prendre un mari qui soit selon mes vœux.

ARISTE

Vous voilà raisonnable, et comme je vous veux.

CHRYSALE

Vous êtes pour Clitandre, et savez sa demeure :
Faites-le-moi venir, mon frère, tout à l'heure.

ARISTE

J'y cours tout de ce pas.

CHRYSALE

C'est souffrir trop longtemps,
Et je m'en vais être homme à la barbe des gens.

ACTE III

SCÈNE I

PHILAMINTE, ARMANDE, BÉLISE, TRISSOTIN, L'ÉPINE

PHILAMINTE

Ah ! mettons-nous ici, pour écouter à l'aise
Ces vers que mot à mot il est besoin qu'on pèse.

ARMANDE

Je brûle de les voir.

BÉLISE

Et l'on s'en meurt chez nous.

PHILAMINTE

Ce sont charmes pour moi que ce qui part de vous.

ARMANDE

Ce m'est une douceur à nulle autre pareille.

BÉLISE

Ce sont repas friands qu'on donne à mon oreille.

PHILAMINTE

Ne faites point languir de si pressants désirs.

ARMANDE

Dépêchez.

BÉLISE

Faites tôt, et hâtez nos plaisirs.

PHILAMINTE

À notre impatience offrez votre épigramme.

TRISSOTIN

Hélas ! c'est un enfant tout nouveau-né, Madame.
Son sort assurément a lieu de vous toucher,
Et c'est dans votre cour que j'en viens d'accoucher.

PHILAMINTE

Pour me le rendre cher, il suffit de son père.

TRISSOTIN

Votre approbation lui peut servir de mère.

BÉLISE

Qu'il a d'esprit !

SCÈNE II

HENRIETTE, PHILAMINTE, ARMANDE, BÉLISE, TRISSOTIN, L'ÉPINE

PHILAMINTE

Holà ! pourquoi donc fuyez-vous ?

HENRIETTE

C'est de peur de troubler un entretien si doux.

PHILAMINTE

Approchez, et venez, de toutes vos oreilles,
Prendre part au plaisir d'entendre des merveilles.

HENRIETTE

Je sais peu les beautés de tout ce qu'on écrit,
Et ce n'est pas mon fait que les choses d'esprit.

PHILAMINTE

Il n'importe : aussi bien ai-je à vous dire ensuite
Un secret dont il faut que vous soyez instruite.

TRISSOTIN

Les sciences n'ont rien qui vous puisse enflammer,
Et vous ne vous piquez que de savoir charmer.

HENRIETTE

Aussi peu l'un que l'autre, et je n'ai nulle envie…

BÉLISE

Ah ! songeons à l'enfant nouveau-né, je vous prie.

PHILAMINTE

Allons, petit garçon, vite de quoi s'asseoir.

Le laquais tombe avec la chaise.

Voyez l'impertinent ! Est-ce que l'on doit choir,
Après avoir appris l'équilibre des choses ?

BÉLISE

De ta chute, ignorant, ne vois-tu pas les causes,
Et qu'elle vient d'avoir du point fixe écarté
Ce que nous appelons centre de gravité ?

L'ÉPINE

Je m'en suis aperçu, Madame, étant par terre.

PHILAMINTE

Le lourdaud !

TRISSOTIN

      Bien lui prend de n'être pas de verre.

ARMANDE

Ah ! de l'esprit partout !

BÉLISE

          Cela ne tarit pas.

PHILAMINTE

Servez-nous promptement votre aimable repas.

TRISSOTIN

Pour cette grande faim qu'à mes yeux on expose,
Un plat seul de huit vers me semble peu de chose,
Et je pense qu'ici je ne ferai pas mal
De joindre à l'épigramme, ou bien au madrigal,
Le ragoût d'un sonnet, qui chez une princesse
A passé pour avoir quelque délicatesse.
Il est de sel attique assaisonné partout,
Et vous le trouverez, je crois, d'assez bon goût.

ARMANDE

Ah ! je n'en doute point.

PHILAMINTE

          Donnons vite audience.

BÉLISE

Chaque fois qu'il veut lire, elle l'interrompt.

Je sens d'aise mon cœur tressaillir par avance.
J'aime la poésie avec entêtement,
Et surtout quand les vers sont tournés galamment.

PHILAMINTE

Si nous parlons toujours, il ne pourra rien dire.

TRISSOTIN

SO...

BÉLISE

Silence ! ma nièce.

TRISSOTIN

SONNET À LA PRINCESSE URANIE SUR SA FIÈVRE

Votre prudence est endormie,
De traiter magnifiquement
Et de loger superbement
Votre plus cruelle ennemie.

BÉLISE

Ah ! le joli début !

ARMANDE

Qu'il a le tour galant !

PHILAMINTE

Lui seul des vers aisés possède le talent !

ARMANDE

À prudence endormie il faut rendre les armes.

BÉLISE

Loger son ennemie est pour moi plein de charmes.

PHILAMINTE

J'aime *superbement* et *magnifiquement* :
Ces deux adverbes joints font admirablement.

BÉLISE

Prêtons l'oreille au reste.

TRISSOTIN

Votre prudence est endormie,
De traiter magnifiquement
Et de loger superbement
Votre plus cruelle ennemie.

ARMANDE

Prudence endormie !

BÉLISE

Loger son ennemie !

PHILAMINTE

Superbement et *magnifiquement !*

TRISSOTIN

Faites-la sortir, quoi qu'on die,
De votre riche appartement,
Où cette ingrate insolemment
Attaque votre belle vie.

BÉLISE

Ah ! tout doux, laissez-moi, de grâce, respirer.

ARMANDE

Donnez-nous, s'il vous plaît, le loisir d'admirer.

PHILAMINTE

On se sent à ces vers, jusques au fond de l'âme,
Couler je ne sais quoi qui fait que l'on se pâme.

ARMANDE

Faites-la sortir, quoi qu'on die,
De votre riche appartement.
Que *riche appartement* est là joliment dit !
Et que la métaphore est mise avec esprit !

PHILAMINTE

Faites-la sortir, quoi qu'on die.
Ah ! que ce *quoi qu'on die* est d'un goût admirable !
C'est, à mon sentiment, un endroit impayable.

ARMANDE

De *quoi qu'on die* aussi mon cœur est amoureux.

BÉLISE

Je suis de votre avis, *quoi qu'on die* est heureux.

ARMANDE

Je voudrais l'avoir fait.

BÉLISE

Il vaut toute une pièce.

PHILAMINTE

Mais en comprend-on bien, comme moi, la finesse ?

ARMANDE *et* BÉLISE

Oh, oh !

PHILAMINTE

Faites-la sortir, quoi qu'on die :
Que de la fièvre, on prenne ici les intérêts :
N'ayez aucun égard, moquez-vous des caquets.
Faites-la sortir, quoi qu'on die.
Quoi qu'on die, quoi qu'on die.
Ce *quoi qu'on die* en dit beaucoup plus qu'il ne semble.
Je ne sais pas, pour moi, si chacun me ressemble ;
Mais j'entends là-dessous un million de mots.

BÉLISE

Il est vrai qu'il dit plus de choses qu'il n'est gros.

PHILAMINTE

Mais quand vous avez fait ce charmant *quoi qu'on die*,
Avez-vous compris, vous, toute son énergie ?
Songiez-vous bien vous-même à tout ce qu'il nous dit,
Et pensiez-vous alors y mettre tant d'esprit ?

TRISSOTIN

Hay, hay.

ARMANDE

J'ai fort aussi *l'ingrate* dans la tête :
Cette ingrate de fièvre, injuste, malhonnête,
Qui traite mal les gens qui la logent chez eux.

PHILAMINTE

Enfin les quatrains sont admirables tous deux.
Venons-en promptement aux tiercets, je vous prie.

ARMANDE

Ah ! s'il vous plaît, encore une fois *quoi qu'on die*.

TRISSOTIN

Faites-la sortir, quoi qu'on die,

PHILAMINTE, ARMANDE *et* BÉLISE

Quoi qu'on die !

TRISSOTIN

De votre riche appartement,

PHILAMINTE, ARMANDE *et* BÉLISE

Riche appartement !

TRISSOTIN

Où cette ingrate insolemment

PHILAMINTE, ARMANDE *et* BÉLISE

Cette *ingrate* de fièvre !

TRISSOTIN

Attaque votre belle vie.

PHILAMINTE

Votre belle vie !

ARMANDE *et* BÉLISE

Ah !

TRISSOTIN

Quoi ? sans respecter votre rang,
Elle se prend à votre sang,

PHILAMINTE, ARMANDE *et* BÉLISE

Ah !

TRISSOTIN

Et nuit et jour vous fait outrage !

Si vous la conduisez aux bains,
Sans la marchander davantage,
Noyez-la de vos propres mains.

PHILAMINTE

On n'en peut plus.

BÉLISE

On pâme.

ARMANDE

On se meurt de plaisir.

PHILAMINTE

De mille doux frissons vous vous sentez saisir.

ARMANDE

Si vous la conduisez aux bains,

BÉLISE

Sans la marchander davantage,

PHILAMINTE

Noyez-la de vos propres mains :
De vos propres mains, là, noyez-la dans les bains.

ARMANDE

Chaque pas dans vos vers rencontre un trait charmant.

BÉLISE

Partout on s'y promène avec ravissement.

PHILAMINTE

On n'y saurait marcher que sur de belles choses.

ARMANDE

Ce sont petits chemins tout parsemés de roses.

TRISSOTIN

Le sonnet donc vous semble…

PHILAMINTE

Admirable, nouveau,
Et personne jamais n'a rien fait de si beau.

BÉLISE

Quoi ? sans émotion pendant cette lecture ?
Vous faites là, ma nièce, une étrange figure !

HENRIETTE

Chacun fait ici-bas la figure qu'il peut,
Ma tante ; et bel esprit, il ne l'est pas qui veut.

TRISSOTIN

Peut-être que mes vers importunent Madame.

HENRIETTE

Point : je n'écoute pas.

PHILAMINTE

Ah ! voyons l'épigramme.

TRISSOTIN

SUR UN CARROSSE DE COULEUR AMARANTE
DONNÉ À UNE DAME DE SES AMIES,

PHILAMINTE

Ses titres ont toujours quelque chose de rare.

ARMANDE

À cent beaux traits d'esprit leur nouveauté prépare.

TRISSOTIN

L'Amour si chèrement m'a vendu son lien

BÉLISE, ARMANDE *et* PHILAMINTE

Ah !

TRISSOTIN

Qu'il m'en coûte déjà la moitié de mon bien ;
Et quand tu vois ce beau carrosse,
Où tant d'or se relève en bosse
Qu'il étonne tout le pays,
Et fait pompeusement triompher ma Laïs...

PHILAMINTE

Ah ! *ma Laïs !* voilà de l'érudition.

BÉLISE

L'enveloppe est jolie, et vaut un million.

TRISSOTIN

Et quand tu vois ce beau carrosse,
Où tant d'or se relève en bosse

Qu'il étonne tout le pays,
Et fait pompeusement triompher ma Laïs,
Ne dis plus qu'il est amarante :
Dis plutôt qu'il est de ma rente.

ARMANDE

Oh, oh, oh ! celui-là ne s'attend point du tout.

PHILAMINTE

On n'a que lui qui puisse écrire de ce goût.

BÉLISE

Ne dis plus qu'il est amarante :
Dis plutôt qu'il est de ma rente.
Voilà qui se décline : *ma rente, de ma rente, à ma rente.*

PHILAMINTE

Je ne sais, du moment que je vous ai connu,
Si sur votre sujet j'ai l'esprit prévenu,
Mais j'admire partout vos vers et votre prose.

TRISSOTIN

Si vous vouliez de vous nous montrer quelque chose,
À notre tour aussi nous pourrions admirer.

PHILAMINTE

Je n'ai rien fait en vers, mais j'ai lieu d'espérer
Que je pourrai bientôt vous montrer, en amie,
Huit chapitres du plan de notre académie.
Platon s'est au projet simplement arrêté,
Quand de sa République il a fait le traité ;
Mais à l'effet entier je veux pousser l'idée
Que j'ai sur le papier en prose accommodée.
Car enfin je me sens un étrange dépit
Du tort que l'on nous fait du côté de l'esprit,
Et je veux nous venger, toutes tant que nous sommes,
De cette indigne classe où nous rangent les hommes,
De borner nos talents à des futilités,
Et nous fermer la porte aux sublimes clartés.

ARMANDE

C'est faire à notre sexe une trop grande offense,
De n'étendre l'effort de notre intelligence
Qu'à juger d'une jupe et de l'air d'un manteau,
Ou des beautés d'un point, ou d'un brocart nouveau.

BÉLISE

Il faut se relever de ce honteux partage,
Et mettre hautement notre esprit hors de page.

TRISSOTIN

Pour les dames on sait mon respect en tous lieux ;
Et, si je rends hommage aux brillants de leurs yeux,
De leur esprit aussi j'honore les lumières.

PHILAMINTE

Le sexe aussi vous rend justice en ces matières ;
Mais nous voulons montrer à de certains esprits,
Dont l'orgueilleux savoir nous traite avec mépris,
Que de science aussi les femmes sont meublées ;
Qu'on peut faire comme eux de doctes assemblées,
Conduites en cela par des ordres meilleurs,
Qu'on y veut réunir ce qu'on sépare ailleurs,
Mêler le beau langage et les hautes sciences,
Découvrir la nature en mille expériences,
Et sur les questions qu'on pourra proposer
Faire entrer chaque secte, et n'en point épouser.

TRISSOTIN

Je m'attache pour l'ordre au péripatétisme.

PHILAMINTE

Pour les abstractions, j'aime le platonisme.

ARMANDE

Épicure me plaît, et ses dogmes sont forts.

BÉLISE

Je m'accommode assez pour moi des petits corps ;
Mais le vide à souffrir me semble difficile,
Et je goûte bien mieux la matière subtile.

TRISSOTIN

Descartes pour l'aimant donne fort dans mon sens.

ARMANDE

J'aime ses tourbillons.

PHILAMINTE

Moi, ses mondes tombants.

ARMANDE

Il me tarde de voir notre assemblée ouverte,
Et de nous signaler par quelque découverte.

TRISSOTIN

On en attend beaucoup de vos vives clartés,
Et pour vous la nature a peu d'obscurités.

PHILAMINTE

Pour moi, sans me flatter, j'en ai déjà fait une,
Et j'ai vu clairement des hommes dans la lune.

BÉLISE

Je n'ai point encor vu d'hommes, comme je crois ;
Mais j'ai vu des clochers tout comme je vous vois.

ARMANDE

Nous approfondirons, ainsi que la physique,
Grammaire, histoire, vers, morale et politique.

PHILAMINTE

La morale a des traits dont mon cœur est épris,
Et c'était autrefois l'amour des grands esprits ;
Mais aux Stoïciens je donne l'avantage,
Et je ne trouve rien de si beau que leur sage.

ARMANDE

Pour la langue, on verra dans peu nos règlements,
Et nous y prétendons faire des remuements.
Par une antipathie ou juste, ou naturelle,
Nous avons pris chacune une haine mortelle
Pour un nombre de mots, soit ou verbes ou noms,
Que mutuellement nous nous abandonnons ;
Contre eux nous préparons de mortelles sentences,

Et nous devons ouvrir nos doctes conférences
Par les proscriptions de tous ces mots divers
Dont nous voulons purger et la prose et les vers.

PHILAMINTE

Mais le plus beau projet de notre académie,
Une entreprise noble, et dont je suis ravie,
Un dessein plein de gloire, et qui sera vanté
Chez tous les beaux esprits de la postérité,
C'est le retranchement de ces syllabes sales,
Qui dans les plus beaux mots produisent des scandales,
Ces jouets éternels des sots de tous les temps,
Ces fades lieux communs de nos méchants plaisants,
Ces sources d'un amas d'équivoques infâmes,
Dont on vient faire insulte à la pudeur des femmes.

TRISSOTIN

Voilà certainement d'admirables projets !

BÉLISE

Vous verrez nos statuts, quand ils seront tous faits.

TRISSOTIN

Ils ne sauraient manquer d'être tous beaux et sages.

ARMANDE

Nous serons par nos lois les juges des ouvrages ;
Par nos lois, prose et vers, tout nous sera soumis ;
Nul n'aura de l'esprit hors nous et nos amis ;
Nous chercherons partout à trouver à redire,
Et ne verrons que nous qui sache bien écrire.

SCÈNE III

TRISSOTIN, PHILAMINTE, BÉLISE, ARMANDE,
HENRIETTE, VADIUS, L'ÉPINE

L'ÉPINE

Monsieur, un homme est là qui veut parler à vous ;
Il est vêtu de noir, et parle d'un ton doux.

TRISSOTIN

C'est cet ami savant qui m'a fait tant d'instance
De lui donner l'honneur de votre connaissance.

PHILAMINTE

Pour le faire venir vous avez tout crédit.
Faisons bien les honneurs au moins de notre esprit.
Holà ! Je vous ai dit en paroles bien claires
Que j'ai besoin de vous.

HENRIETTE

Mais pour quelles affaires ?

PHILAMINTE

Venez, on va dans peu vous les faire savoir.

TRISSOTIN

Voici l'homme qui meurt du désir de vous voir.
En vous le produisant, je ne crains point le blâme
D'avoir admis chez vous un profane, Madame :
Il peut tenir son coin parmi de beaux esprits.

PHILAMINTE

La main qui le présente en dit assez le prix.

TRISSOTIN

Il a des vieux auteurs la pleine intelligence,
Et sait du grec, Madame, autant qu'homme de France.

PHILAMINTE

Du grec, ô Ciel ! du grec ! Il sait du grec, ma sœur !

BÉLISE

Ah ! ma nièce, du grec !

ARMANDE

Du grec ! quelle douceur !

PHILAMINTE

Quoi ? Monsieur sait du grec ? Ah ! permettez, de grâce,
Que pour l'amour du grec, Monsieur, on vous embrasse.

Il les baise toutes, jusques à Henriette, qui le refuse.

HENRIETTE

Excusez-moi, Monsieur, je n'entends pas le grec.

PHILAMINTE

J'ai pour les livres grecs un merveilleux respect.

VADIUS

Je crains d'être fâcheux par l'ardeur qui m'engage
À vous rendre aujourd'hui, Madame, mon hommage,
Et j'aurai pu troubler quelque docte entretien.

PHILAMINTE

Monsieur, avec du grec on ne peut gâter rien.

TRISSOTIN

Au reste, il fait merveille en vers ainsi qu'en prose,
Et pourrait, s'il voulait, vous montrer quelque chose.

VADIUS

Le défaut des auteurs, dans leurs productions,
C'est d'en tyranniser les conversations,
D'être au Palais, au Cours, aux ruelles, aux tables,
De leurs vers fatigants lecteurs infatigables.
Pour moi, je ne vois rien de plus sot à mon sens
Qu'un auteur qui partout va gueuser des encens,
Qui des premiers venus saisissant les oreilles,
En fait le plus souvent les martyrs de ses veilles.
On ne m'a jamais vu ce fol entêtement ;
Et d'un Grec là-dessus je suis le sentiment,
Qui, par un dogme exprès, défend à tous ses sages
L'indigne empressement de lire leurs ouvrages.
Voici de petits vers pour de jeunes amants,
Sur quoi je voudrais bien avoir vos sentiments.

TRISSOTIN

Vos vers ont des beautés que n'ont point tous les autres.

VADIUS

Les Grâces et Vénus règnent dans tous les vôtres.

TRISSOTIN

Vous avez le tour libre, et le beau choix des mots.

VADIUS

On voit partout chez vous *l'ithos* et le *pathos*.

TRISSOTIN

Nous avons vu de vous des églogues d'un style
Qui passe en doux attraits Théocrite et Virgile.

VADIUS

Vos odes ont un air noble, galant et doux,
Qui laisse de bien loin votre Horace après vous.

TRISSOTIN

Est-il rien d'amoureux comme vos chansonnettes ?

VADIUS

Peut-on voir rien d'égal aux sonnets que vous faites ?

TRISSOTIN

Rien qui soit plus charmant que vos petits rondeaux ?

VADIUS

Rien de si plein d'esprit que tous vos madrigaux ?

TRISSOTIN

Aux ballades surtout vous êtes admirable.

VADIUS

Et dans les bouts-rimés je vous trouve adorable.

TRISSOTIN

Si la France pouvait connaître votre prix,

VADIUS

Si le siècle rendait justice aux beaux esprits,

TRISSOTIN

En carrosse doré vous iriez par les rues.

VADIUS

On verrait le public vous dresser des statues.
Hom ! C'est une ballade, et je veux que tout net
Vous m'en...

TRISSOTIN

Avez-vous vu certain petit sonnet
Sur la fièvre qui tient la princesse Uranie ?

VADIUS

Oui, hier il me fut lu dans une compagnie.

TRISSOTIN

Vous en savez l'auteur ?

VADIUS

Non ; mais je sais fort bien
Qu'à ne le point flatter son sonnet ne vaut rien.

TRISSOTIN

Beaucoup de gens pourtant le trouvent admirable.

VADIUS

Cela n'empêche pas qu'il ne soit misérable ;
Et, si vous l'avez vu, vous serez de mon goût.

TRISSOTIN

Je sais que là-dessus je n'en suis point du tout,
Et que d'un tel sonnet peu de gens sont capables.

VADIUS

Me préserve le Ciel d'en faire de semblables !

TRISSOTIN

Je soutiens qu'on ne peut en faire de meilleur ;
Et ma grande raison, c'est que j'en suis l'auteur.

VADIUS

Vous !

TRISSOTIN

Moi.

VADIUS

Je ne sais donc comment se fit l'affaire.

TRISSOTIN

C'est qu'on fut malheureux de ne pouvoir vous plaire.

VADIUS

Il faut qu'en écoutant j'aie eu l'esprit distrait,
Ou bien que le lecteur m'ait gâté le sonnet.
Mais laissons ce discours et voyons ma ballade.

TRISSOTIN

La ballade, à mon goût, est une chose fade.
Ce n'en est plus la mode ; elle sent son vieux temps.

VADIUS

La ballade pourtant charme beaucoup de gens.

TRISSOTIN

Cela n'empêche pas qu'elle ne me déplaise.

VADIUS

Elle n'en reste pas pour cela plus mauvaise.

TRISSOTIN

Elle a pour les pédants de merveilleux appas.

VADIUS

Cependant nous voyons qu'elle ne vous plaît pas.

TRISSOTIN

Vous donnez sottement vos qualités aux autres.

VADIUS

Fort impertinemment vous me jetez les vôtres.

TRISSOTIN

Allez, petit grimaud, barbouilleur de papier.

VADIUS

Allez, rimeur de balle, opprobre du métier.

TRISSOTIN

Allez, fripier d'écrits, impudent plagiaire.

VADIUS

Allez, cuistre…

PHILAMINTE

Eh ! Messieurs, que prétendez-vous faire ?

TRISSOTIN

Va, va restituer tous les honteux larcins
Que réclament sur toi les Grecs et les Latins.

VADIUS

Va, va-t'en faire amende honorable au Parnasse
D'avoir fait à tes vers estropier Horace.

TRISSOTIN

Souviens-toi de ton livre et de son peu de bruit.

VADIUS

Et toi, de ton libraire à l'hôpital réduit.

TRISSOTIN

Ma gloire est établie ; en vain tu la déchires.

VADIUS

Oui, oui, je te renvoie à l'auteur des *Satires*.

TRISSOTIN

Je t'y renvoie aussi.

VADIUS

J'ai le contentement
Qu'on voit qu'il m'a traité plus honorablement :
Il me donne, en passant, une atteinte légère
Parmi plusieurs auteurs qu'au Palais on révère ;
Mais jamais, dans ses vers, il ne te laisse en paix,
Et l'on t'y voit partout être en butte à ses traits.

TRISSOTIN

C'est par là que j'y tiens un rang plus honorable.
Il te met dans la foule, ainsi qu'un misérable.
Il croit que c'est assez d'un coup pour t'accabler,
Et ne t'a jamais fait l'honneur de redoubler ;
Mais il m'attaque à part, comme un noble adversaire
Sur qui tout son effort lui semble nécessaire ;
Et ses coups contre moi redoublés en tous lieux
Montrent qu'il ne se croit jamais victorieux.

VADIUS

Ma plume t'apprendra quel homme je puis être.

TRISSOTIN

Et la mienne saura te faire voir ton maître.

VADIUS

Je te défie en vers, prose, grec et latin.

TRISSOTIN

Hé bien, nous nous verrons seul à seul chez Barbin.

SCÈNE IV

TRISSOTIN, PHILAMINTE, ARMANDE, BÉLISE, HENRIETTE

TRISSOTIN

À mon emportement ne donnez aucun blâme :
C'est votre jugement que je défends, Madame,
Dans le sonnet qu'il a l'audace d'attaquer.

PHILAMINTE

À vous remettre bien je me veux appliquer.
Mais parlons d'autre affaire. Approchez, Henriette.
Depuis assez longtemps mon âme s'inquiète
De ce qu'aucun esprit en vous ne se fait voir,
Mais je trouve un moyen de vous en faire avoir.

HENRIETTE

C'est prendre un soin pour moi qui n'est pas nécessaire :
Les doctes entretiens ne sont point mon affaire ;
J'aime à vivre aisément, et, dans tout ce qu'on dit,
Il faut se trop peiner pour avoir de l'esprit.
C'est une ambition que je n'ai point en tête ;
Je me trouve fort bien, ma mère, d'être bête,
Et j'aime mieux n'avoir que de communs propos,
Que de me tourmenter pour dire de beaux mots.

PHILAMINTE

Oui, mais j'y suis blessée, et ce n'est pas mon compte
De souffrir dans mon sang une pareille honte.
La beauté du visage est un frêle ornement,
Une fleur passagère, un éclat d'un moment,
Et qui n'est attaché qu'à la simple épiderme ;
Mais celle de l'esprit est inhérente et ferme.
J'ai donc cherché longtemps un biais de vous donner
La beauté que les ans ne peuvent moissonner,

De faire entrer chez vous le désir des sciences,
De vous insinuer les belles connaissances ;
Et la pensée enfin où mes vœux ont souscrit,
C'est d'attacher à vous un homme plein d'esprit ;
Et cet homme est Monsieur, que je vous détermine
À voir comme l'époux que mon choix vous destine.

HENRIETTE

Moi, ma mère ?

PHILAMINTE

Oui, vous. Faites la sotte un peu.

BÉLISE

Je vous entends : vos yeux demandent mon aveu,
Pour engager ailleurs un cœur que je possède.
Allez, je le veux bien. À ce nœud je vous cède :
C'est un hymen qui fait votre établissement.

TRISSOTIN

Je ne sais que vous dire en mon ravissement,
Madame, et cet hymen dont je vois qu'on m'honore
Me met...

HENRIETTE

Tout beau, Monsieur, il n'est pas fait encore :
Ne vous pressez pas tant.

PHILAMINTE

Comme vous répondez !
Savez-vous bien que si... Suffit, vous m'entendez.
Elle se rendra sage ; allons, laissons-la faire.

SCÈNE V

HENRIETTE, ARMANDE

ARMANDE

On voit briller pour vous les soins de notre mère,
Et son choix ne pouvait d'un plus illustre époux...

HENRIETTE

Si le choix est si beau, que ne le prenez-vous ?

ARMANDE

C'est à vous, non à moi, que sa main est donnée.

HENRIETTE

Je vous le cède tout, comme à ma sœur aînée.

ARMANDE

Si l'hymen, comme à vous, me paraissait charmant,
J'accepterais votre offre avec ravissement.

HENRIETTE

Si j'avais, comme vous, les pédants dans la tête,
Je pourrais le trouver un parti fort honnête.

ARMANDE

Cependant, bien qu'ici nos goûts soient différents,
Nous devons obéir, ma sœur, à nos parents :
Une mère a sur nous une entière puissance,
Et vous croyez en vain par votre résistance…

SCÈNE VI

CHRYSALE, ARISTE, CLITANDRE, HENRIETTE, ARMANDE

CHRYSALE

Allons, ma fille, il faut approuver mon dessein :
Ôtez ce gant ; touchez à Monsieur dans la main,
Et le considérez désormais dans votre âme
En homme dont je veux que vous soyez la femme.

ARMANDE

De ce côté, ma sœur, vos penchants sont fort grands.

HENRIETTE

Il nous faut obéir, ma sœur, à nos parents.
Un père a sur nos vœux une entière puissance.

ARMANDE

Une mère a sa part à notre obéissance.

CHRYSALE

Qu'est-ce à dire ?

ARMANDE

Je dis que j'appréhende fort
Qu'ici ma mère et vous ne soyez pas d'accord ;
Et c'est un autre époux…

CHRYSALE

Taisez-vous, péronnelle !
Allez philosopher tout le soûl avec elle,
Et de mes actions ne vous mêlez en rien.
Dites-lui ma pensée, et l'avertissez bien
Qu'elle ne vienne pas m'échauffer les oreilles :
Allons vite.

ARISTE

Fort bien : vous faites des merveilles.

CLITANDRE

Quel transport ! quelle joie ! ah ! que mon sort est doux !

CHRYSALE

Allons, prenez sa main, et passez devant nous,
Menez-la dans sa chambre. Ah ! les douces caresses !
Tenez, mon cœur s'émeut à toutes ces tendresses,
Cela ragaillardit tout à fait mes vieux jours,
Et je me ressouviens de mes jeunes amours.

ACTE IV

SCÈNE I

ARMANDE, PHILAMINTE

ARMANDE

Oui, rien n'a retenu son esprit en balance :
Elle a fait vanité de son obéissance.
Son cœur, pour se livrer, à peine devant moi
S'est-il donné le temps d'en recevoir la loi,
Et semblait suivre moins les volontés d'un père
Qu'affecter de braver les ordres d'une mère.

PHILAMINTE

Je lui montrerai bien aux lois de qui des deux
Les droits de la raison soumettent tous ses vœux,
Et qui doit gouverner, ou sa mère ou son père,
Ou l'esprit ou le corps, la forme ou la matière.

ARMANDE

On vous en devait bien au moins un compliment ;
Et ce petit Monsieur en use étrangement,
De vouloir malgré vous devenir votre gendre.

PHILAMINTE

Il n'en est pas encore où son cœur peut prétendre.
Je le trouvais bien fait, et j'aimais vos amours ;
Mais dans ses procédés il m'a déplu toujours.
Il sait que, Dieu merci, je me mêle d'écrire,
Et jamais il ne m'a priée de lui rien lire.

SCÈNE II

CLITANDRE, ARMANDE, PHILAMINTE

ARMANDE

Je ne souffrirais point, si j'étais que de vous,
Que jamais d'Henriette il pût être l'époux.
On me ferait grand tort d'avoir quelque pensée
Que là-dessus je parle en fille intéressée,
Et que le lâche tour que l'on voit qu'il me fait
Jette au fond de mon cœur quelque dépit secret :
Contre de pareils coups l'âme se fortifie
Du solide secours de la philosophie,
Et par elle on se peut mettre au-dessus de tout.
Mais vous traiter ainsi, c'est vous pousser à bout :
Il est de votre honneur d'être à ses vœux contraire,
Et c'est un homme enfin qui ne doit point vous plaire.
Jamais je n'ai connu, discourant entre nous,
Qu'il eût au fond du cœur de l'estime pour vous.

PHILAMINTE

Petit sot !

ARMANDE

Quelque bruit que votre gloire fasse,
Toujours à vous louer il a paru de glace.

PHILAMINTE

Le brutal !

ARMANDE

Et vingt fois, comme ouvrages nouveaux,
J'ai lu des vers de vous qu'il n'a point trouvés beaux.

PHILAMINTE

L'impertinent !

ARMANDE

Souvent nous en étions aux prises ;
Et vous ne croiriez point de combien de sottises...

CLITANDRE

Eh ! doucement, de grâce : un peu de charité,
Madame, ou tout au moins un peu d'honnêteté.
Quel mal vous ai-je fait ? et quelle est mon offense,
Pour armer contre moi toute votre éloquence ?
Pour vouloir me détruire, et prendre tant de soin
De me rendre odieux aux gens dont j'ai besoin ?
Parlez, dites, d'où vient ce courroux effroyable ?
Je veux bien que Madame en soit juge équitable.

ARMANDE

Si j'avais le courroux dont on veut m'accuser,
Je trouverais assez de quoi l'autoriser :
Vous en seriez trop digne, et les premières flammes
S'établissent des droits si sacrés sur les âmes
Qu'il faut perdre fortune, et renoncer au jour,
Plutôt que de brûler des feux d'un autre amour ;
Au changement de vœux nulle horreur ne s'égale,
Et tout cœur infidèle est un monstre en morale.

CLITANDRE

Appelez-vous, Madame, une infidélité
Ce que m'a de votre âme ordonné la fierté ?
Je ne fais qu'obéir aux lois qu'elle m'impose ;
Et si je vous offense, elle seule en est cause.
Vos charmes ont d'abord possédé tout mon cœur ;
Il a brûlé deux ans d'une constante ardeur ;
Il n'est soins empressés, devoirs, respects, services,
Dont il ne vous ait fait d'amoureux sacrifices.
Tous mes feux, tous mes soins ne peuvent rien sur vous ;
Je vous trouve contraire à mes vœux les plus doux.
Ce que vous refusez, je l'offre au choix d'une autre.
Voyez : est-ce, Madame, ou ma faute, ou la vôtre ?
Mon cœur court-il au change, ou si vous l'y poussez ?
Est-ce moi qui vous quitte, ou vous qui me chassez ?

ARMANDE

Appelez-vous, Monsieur, être à vos vœux contraire,
Que de leur arracher ce qu'ils ont de vulgaire,
Et vouloir les réduire à cette pureté

Où du parfait amour consiste la beauté ?
Vous ne sauriez pour moi tenir votre pensée
Du commerce des sens nette et débarrassée ?
Et vous ne goûtez point, dans ses plus doux appas,
Cette union des cœurs où les corps n'entrent pas ?
Vous ne pouvez aimer que d'une amour grossière ?
Qu'avec tout l'attirail des nœuds de la matière ?
Et pour nourrir les feux que chez vous on produit,
Il faut un mariage, et tout ce qui s'ensuit ?
Ah ! quel étrange amour ! et que les belles âmes
Sont bien loin de brûler de ces terrestres flammes !
Les sens n'ont point de part à toutes leurs ardeurs,
Et ce beau feu ne veut marier que les cœurs ;
Comme une chose indigne, il laisse là le reste.
C'est un feu pur et net comme le feu céleste ;
On ne pousse, avec lui, que d'honnêtes soupirs,
Et l'on ne penche point vers les sales désirs ;
Rien d'impur ne se mêle au but qu'on se propose ;
On aime pour aimer, et non pour autre chose ;
Ce n'est qu'à l'esprit seul que vont tous les transports,
Et l'on ne s'aperçoit jamais qu'on ait un corps.

CLITANDRE

Pour moi, par un malheur, je m'aperçois, Madame,
Que j'ai, ne vous déplaise, un corps tout comme une âme :
Je sens qu'il y tient trop pour le laisser à part ;
De ces détachements je ne connais point l'art :
Le Ciel m'a dénié cette philosophie,
Et mon âme et mon corps marchent de compagnie.
Il n'est rien de plus beau, comme vous avez dit,
Que ces vœux épurés qui ne vont qu'à l'esprit,
Ces unions de cœurs, et ces tendres pensées
Du commerce des sens si bien débarrassées.
Mais ces amours pour moi sont trop subtilisés ;
Je suis un peu grossier, comme vous m'accusez ;
J'aime avec tout moi-même, et l'amour qu'on me donne
En veut, je le confesse, à toute la personne.
Ce n'est pas là matière à de grands châtiments ;
Et, sans faire de tort à vos beaux sentiments,

Je vois que dans le monde on suit fort ma méthode,
Et que le mariage est assez à la mode,
Passe pour un lien assez honnête et doux
Pour avoir désiré de me voir votre époux,
Sans que la liberté d'une telle pensée
Ait dû vous donner lieu d'en paraître offensée.

ARMANDE

Hé bien, Monsieur ! hé bien ! puisque, sans m'écouter,
Vos sentiments brutaux veulent se contenter ;
Puisque, pour vous réduire à des ardeurs fidèles,
Il faut des nœuds de chair, des chaînes corporelles,
Si ma mère le veut, je résous mon esprit
À consentir pour vous à ce dont il s'agit.

CLITANDRE

Il n'est plus temps, Madame : une autre a pris la place ;
Et par un tel retour j'aurais mauvaise grâce
De maltraiter l'asile et blesser les bontés
Où je me suis sauvé de toutes vos fiertés.

PHILAMINTE

Mais enfin comptez-vous, Monsieur, sur mon suffrage,
Quand vous vous promettez cet autre mariage ?
Et, dans vos visions, savez-vous, s'il vous plaît,
Que j'ai pour Henriette un autre époux tout prêt ?

CLITANDRE

Eh, Madame ! voyez votre choix, je vous prie :
Exposez-moi, de grâce, à moins d'ignominie,
Et ne me rangez pas à l'indigne destin
De me voir le rival de Monsieur Trissotin.
L'amour des beaux esprits, qui chez vous m'est contraire,
Ne pouvait m'opposer un moins noble adversaire.
Il en est, et plusieurs, que pour le bel esprit
Le mauvais goût du siècle a su mettre en crédit ;
Mais Monsieur Trissotin n'a pu duper personne,
Et chacun rend justice aux écrits qu'il nous donne :
Hors céans, on le prise en tous lieux ce qu'il vaut ;
Et ce qui m'a vingt fois fait tomber de mon haut,

C'est de vous voir au ciel élever des sornettes
Que vous désavoueriez, si vous les aviez faites.

PHILAMINTE
Si vous jugez de lui tout autrement que nous,
C'est que nous le voyons par d'autres yeux que vous.

SCÈNE III

TRISSOTIN, ARMANDE, PHILAMINTE, CLITANDRE

TRISSOTIN
Je viens vous annoncer une grande nouvelle.
Nous l'avons en dormant, Madame, échappé belle :
Un monde près de nous a passé tout du long,
Est chu tout au travers de notre tourbillon ;
Et s'il eût en chemin rencontré notre terre,
Elle eût été brisée en morceaux comme verre.

PHILAMINTE
Remettons ce discours pour une autre saison :
Monsieur n'y trouverait ni rime, ni raison ;
Il fait profession de chérir l'ignorance,
Et de haïr surtout l'esprit et la science.

CLITANDRE
Cette vérité veut quelque adoucissement.
Je m'explique, Madame, et je hais seulement
La science et l'esprit qui gâtent les personnes.
Ce sont choses de soi qui sont belles et bonnes ;
Mais j'aimerais mieux être au rang des ignorants
Que de me voir savant comme certaines gens.

TRISSOTIN
Pour moi, je ne tiens pas, quelque effet qu'on suppose,
Que la science soit pour gâter quelque chose.

CLITANDRE
Et c'est mon sentiment qu'en faits, comme en propos,
La science est sujette à faire de grands sots.

TRISSOTIN

Le paradoxe est fort.

CLITANDRE

Sans être fort habile,
La preuve m'en serait, je pense, assez facile :
Si les raisons manquaient, je suis sûr qu'en tout cas
Les exemples fameux ne me manqueraient pas.

TRISSOTIN

Vous en pourriez citer qui ne concluraient guère.

CLITANDRE

Je n'irais pas bien loin pour trouver mon affaire.

TRISSOTIN

Pour moi, je ne vois pas ces exemples fameux.

CLITANDRE

Moi, je les vois si bien qu'ils me crèvent les yeux.

TRISSOTIN

J'ai cru jusques ici que c'était l'ignorance
Qui faisait les grands sots, et non pas la science.

CLITANDRE

Vous avez cru fort mal, et je vous suis garant
Qu'un sot savant est sot plus qu'un sot ignorant.

TRISSOTIN

Le sentiment commun est contre vos maximes,
Puisque ignorant et sot sont termes synonymes.

CLITANDRE

Si vous le voulez prendre aux usages du mot,
L'alliance est plus grande entre pédant et sot.

TRISSOTIN

La sottise dans l'un se fait voir toute pure.

CLITANDRE

Et l'étude dans l'autre ajoute à la nature.

TRISSOTIN

Le savoir garde en soi son mérite éminent.

CLITANDRE

Le savoir dans un fat devient impertinent.

TRISSOTIN

Il faut que l'ignorance ait pour vous de grands charmes,
Puisque pour elle ainsi vous prenez tant les armes.

CLITANDRE

Si pour moi l'ignorance a des charmes bien grands,
C'est depuis qu'à mes yeux s'offrent certains savants.

TRISSOTIN

Ces certains savants-là peuvent, à les connaître,
Valoir certaines gens que nous voyons paraître.

CLITANDRE

Oui, si l'on s'en rapporte à ces certains savants ;
Mais on n'en convient pas chez certaines gens.

PHILAMINTE

Il me semble, Monsieur…

CLITANDRE

Eh, Madame ! de grâce :
Monsieur est assez fort, sans qu'à son aide on passe ;
Je n'ai déjà que trop d'un si rude assaillant,
Et si je me défends, ce n'est qu'en reculant.

ARMANDE

Mais l'offensante aigreur de chaque repartie
Dont vous…

CLITANDRE

Autre second : je quitte la partie.

PHILAMINTE

On souffre aux entretiens ces sortes de combats,
Pourvu qu'à la personne on ne s'attaque pas.

CLITANDRE

Eh, mon Dieu ! tout cela n'a rien dont il s'offense :
Il entend raillerie autant qu'homme de France ;
Et de bien d'autres traits il s'est senti piquer,
Sans que jamais sa gloire ait fait que s'en moquer.

TRISSOTIN

Je ne m'étonne pas, au combat que j'essuie,
De voir prendre à Monsieur la thèse qu'il appuie.
Il est fort enfoncé dans la cour, c'est tout dit :
La cour, comme l'on sait, ne tient pas pour l'esprit ;
Elle a quelque intérêt d'appuyer l'ignorance,
Et c'est en courtisan qu'il en prend la défense.

CLITANDRE

Vous en voulez beaucoup à cette pauvre cour,
Et son malheur est grand de voir que chaque jour
Vous autres beaux esprits vous déclamiez contre elle,
Que de tous vos chagrins vous lui fassiez querelle,
Et, sur son méchant goût lui faisant son procès,
N'accusiez que lui seul de vos méchants succès.
Permettez-moi, Monsieur Trissotin, de vous dire,
Avec tout le respect que votre nom m'inspire,
Que vous feriez fort bien, vos confrères et vous,
De parler de la cour d'un ton un peu plus doux ;
Qu'à le bien prendre, au fond, elle n'est pas si bête
Que vous autres Messieurs vous vous mettez en tête ;
Qu'elle a du sens commun pour se connaître à tout ;
Que chez elle on se peut former quelque bon goût ;
Et que l'esprit du monde y vaut, sans flatterie,
Tout le savoir obscur de la pédanterie.

TRISSOTIN

De son bon goût, Monsieur, nous voyons des effets.

CLITANDRE

Où voyez-vous, Monsieur, qu'elle l'ait si mauvais ?

TRISSOTIN

Ce que je vois, Monsieur, c'est que pour la science
Rasius et Baldus font honneur à la France,
Et que tout leur mérite, exposé fort au jour,
N'attire point les yeux et les dons de la cour.

CLITANDRE

Je vois votre chagrin ; et que par modestie
Vous ne vous mettez point, Monsieur, de la partie ;

Et pour ne vous point mettre aussi dans le propos,
Que font-ils pour l'État, vos habiles héros ?
Qu'est-ce que leurs écrits lui rendent de service,
Pour accuser la cour d'une horrible injustice,
Et se plaindre en tous lieux que sur leurs doctes noms
Elle manque à verser la faveur de ses dons ?
Leur savoir à la France est beaucoup nécessaire,
Et des livres qu'ils font la cour a bien affaire.
Il semble à trois gredins, dans leur petit cerveau,
Que, pour être imprimés, et reliés en veau,
Les voilà dans l'État d'importantes personnes ;
Qu'avec leur plume ils font les destins des couronnes ;
Qu'au moindre petit bruit de leurs productions
Ils doivent voir chez eux voler les pensions ;
Que sur eux l'univers a la vue attachée ;
Que partout de leur nom la gloire est épanchée,
Et qu'en science ils sont des prodiges fameux,
Pour savoir ce qu'ont dit les autres avant eux,
Pour avoir eu trente ans des yeux et des oreilles,
Pour avoir employé neuf ou dix mille veilles
À se bien barbouiller de grec et de latin,
Et se charger l'esprit d'un ténébreux butin
De tous les vieux fatras qui traînent dans les livres :
Gens qui de leur savoir paraissent toujours ivres,
Riches, pour tout mérite, en babil importun,
Inhabiles à tout, vides de sens commun,
Et pleins d'un ridicule et d'une impertinence
À décrier partout l'esprit et la science.

PHILAMINTE

Votre chaleur est grande, et cet emportement
De la nature en vous marque le mouvement :
C'est le nom de rival qui dans votre âme excite…

SCÈNE IV

JULIEN, TRISSOTIN, PHILAMINTE, CLITANDRE, ARMANDE

JULIEN

Le savant qui tantôt vous a rendu visite,
Et de qui j'ai l'honneur de me voir le valet,
Madame, vous exhorte à lire ce billet.

PHILAMINTE

Quelque important que soit ce qu'on veut que je lise,
Apprenez, mon ami, que c'est une sottise
De se venir jeter au travers d'un discours,
Et qu'aux gens d'un logis il faut avoir recours,
Afin de s'introduire en valet qui sait vivre.

JULIEN

Je noterai cela, Madame, dans mon livre.

PHILAMINTE *lit :*

Trissotin s'est vanté, Madame, qu'il épouserait votre fille. Je vous donne avis que sa philosophie n'en veut qu'à vos richesses, et que vous ferez bien de ne point conclure ce mariage que vous n'ayez vu le poème que je compose contre lui. En attendant cette peinture, où je prétends vous le dépeindre de toutes ses couleurs, je vous envoie Horace, Virgile, Térence et Catulle, où vous verrez notés en marge tous les endroits qu'il a pillés.

Voilà sur cet hymen que je me suis promis
Un mérite attaqué de beaucoup d'ennemis ;
Et ce déchaînement aujourd'hui me convie
À faire une action qui confonde l'envie,
Qui lui fasse sentir que l'effort qu'elle fait
De ce qu'elle veut rompre aura pressé l'effet.
Reportez tout cela sur l'heure à votre maître,
Et lui dites qu'afin de lui faire connaître
Quel grand état je fais de ses nobles avis
Et comme je les crois dignes d'être suivis,
Dès ce soir à Monsieur je marierai ma fille.
Vous, Monsieur, comme ami de toute la famille,
À signer leur contrat vous pourrez assister,

Et je vous y veux bien, de ma part, inviter.
Armande, prenez soin d'envoyer au Notaire,
Et d'aller avertir votre sœur de l'affaire.

ARMANDE

Pour avertir ma sœur, il n'en est pas besoin,
Et Monsieur que voilà saura prendre le soin
De courir lui porter bientôt cette nouvelle,
Et disposer son cœur à vous être rebelle.

PHILAMINTE

Nous verrons qui sur elle aura plus de pouvoir,
Et si je la saurai réduire à son devoir.

Elle s'en va.

ARMANDE

J'ai grand regret, Monsieur, de voir qu'à vos visées
Les choses ne soient pas tout à fait disposées.

CLITANDRE

Je m'en vais travailler, Madame, avec ardeur,
À ne vous point laisser ce grand regret au cœur.

ARMANDE

J'ai peur que votre effort n'ait pas trop bonne issue.

CLITANDRE

Peut-être verrez-vous votre crainte déçue.

ARMANDE

Je le souhaite ainsi.

CLITANDRE

J'en suis persuadé,
Et que de votre appui je serai secondé.

ARMANDE

Oui, je vais vous servir de toute ma puissance.

CLITANDRE

Et ce service est sûr de ma reconnaissance.

SCÈNE V

CHRYSALE, ARISTE, HENRIETTE, CLITANDRE CLITANDRE

CLITANDRE

Sans votre appui, Monsieur, je serai malheureux :
Madame votre femme a rejeté mes vœux,
Et son cœur prévenu veut Trissotin pour gendre.

CHRYSALE

Mais quelle fantaisie a-t-elle donc pu prendre ?
Pourquoi diantre vouloir ce Monsieur Trissotin ?

ARISTE

C'est par l'honneur qu'il a de rimer à latin
Qu'il a sur son rival emporté l'avantage.

CLITANDRE

Elle veut dès ce soir faire ce mariage.

CHRYSALE

Dès ce soir ?

CLITANDRE

Dès ce soir.

CHRYSALE

Et dès ce soir je veux,
Pour la contrecarrer, vous marier vous deux.

CLITANDRE

Pour dresser le contrat, elle envoie au Notaire.

CHRYSALE

Et je vais le quérir pour celui qu'il doit faire.

CLITANDRE

Et Madame doit être instruite par sa sœur
De l'hymen où l'on veut qu'elle apprête son cœur.

CHRYSALE

Et moi, je lui commande avec pleine puissance
De préparer sa main à cette autre alliance.
Ah ! je leur ferai voir si, pour donner la loi,
Il est dans ma maison d'autre maître que moi.

Nous allons revenir, songez à nous attendre.
Allons, suivez mes pas, mon frère, et vous, mon gendre.

HENRIETTE

Hélas ! dans cette humeur conservez-le toujours.

ARISTE

J'emploierai toute chose à servir vos amours.

CLITANDRE

Quelque secours puissant qu'on promette à ma flamme,
Mon plus solide espoir, c'est votre cœur, Madame.

HENRIETTE

Pour mon cœur, vous pouvez vous assurer de lui.

CLITANDRE

Je ne puis qu'être heureux, quand j'aurai son appui.

HENRIETTE

Vous voyez à quels nœuds on prétend le contraindre.

CLITANDRE

Tant qu'il sera pour moi, je ne vois rien à craindre.

HENRIETTE

Je vais tout essayer pour nos vœux les plus doux :
Et si tous mes efforts ne me donnent à vous,
Il est une retraite où notre âme se donne
Qui m'empêchera d'être à toute autre personne.

CLITANDRE

Veuille le juste Ciel me garder en ce jour
De recevoir de vous cette preuve d'amour !

ACTE V

SCÈNE I

HENRIETTE, TRISSOTIN

HENRIETTE

C'est sur le mariage où ma mère s'apprête
Que j'ai voulu, Monsieur, vous parler tête à tête ;
Et j'ai cru, dans le trouble où je vois la maison,
Que je pourrais vous faire écouter la raison.
Je sais qu'avec mes vœux vous me jugez capable
De vous porter en dot un bien considérable ;
Mais l'argent, dont on voit tant de gens faire cas,
Pour un vrai philosophe a d'indignes appas ;
Et le mépris du bien et des grandeurs frivoles
Ne doit point éclater dans vos seules paroles.

TRISSOTIN

Aussi n'est-ce point là ce qui me charme en vous ;
Et vos brillants attraits, vos yeux perçants et doux,
Votre grâce, et votre air, sont les biens, les richesses,
Qui vous ont attiré mes vœux et mes tendresses :
C'est de ces seuls trésors que je suis amoureux.

HENRIETTE

Je suis fort redevable à vos feux généreux :
Cet obligeant amour a de quoi me confondre,
Et j'ai regret, Monsieur, de n'y pouvoir répondre.
Je vous estime autant qu'on saurait estimer ;
Mais je trouve un obstacle à vous pouvoir aimer :
Un cœur, vous le savez, à deux ne saurait être,
Et je sens que du mien Clitandre s'est fait maître.
Je sais qu'il a bien moins de mérite que vous,
Que j'ai de méchants yeux pour le choix d'un époux,
Que par cent beaux talents vous devriez me plaire ;
Je vois bien que j'ai tort, mais je n'y puis que faire ;

Et tout ce que sur moi peut le raisonnement,
C'est de me vouloir mal d'un tel aveuglement.

TRISSOTIN

Le don de votre main où l'on me fait prétendre
Me livrera ce cœur que possède Clitandre ;
Et par mille doux soins j'ai lieu de présumer
Que je pourrai trouver l'art de me faire aimer.

HENRIETTE

Non : à ses premiers vœux mon âme est attachée,
Et ne peut de vos soins, Monsieur, être touchée.
Avec vous librement j'ose ici m'expliquer,
Et mon aveu n'a rien qui vous doive choquer.
Cette amoureuse ardeur qui dans les cœurs s'excite
N'est point, comme l'on sait, un effet du mérite :
Le caprice y prend part, et quand quelqu'un nous plaît,
Souvent nous avons peine à dire pourquoi c'est.
Si l'on aimait, Monsieur, par choix et par sagesse,
Vous auriez tout mon cœur et toute ma tendresse ;
Mais on voit que l'amour se gouverne autrement.
Laissez-moi, je vous prie, à mon aveuglement,
Et ne vous servez point de cette violence
Que pour vous on veut faire à mon obéissance.
Quand on est honnête homme, on ne veut rien devoir
À ce que des parents ont sur nous de pouvoir ;
On répugne à se faire immoler ce qu'on aime,
Et l'on veut n'obtenir un cœur que de lui-même.
Ne poussez point ma mère à vouloir par son choix
Exercer sur mes vœux la rigueur de ses droits ;
Ôtez-moi votre amour, et portez à quelque autre
Les hommages d'un cœur aussi cher que le vôtre.

TRISSOTIN

Le moyen que ce cœur puisse vous contenter ?
Imposez-lui des lois qu'il puisse exécuter.
De ne vous point aimer peut-il être capable,
À moins que vous cessiez, Madame, d'être aimable,
Et d'étaler aux yeux les célestes appas...

HENRIETTE

Eh, Monsieur ! laissons là ce galimatias.
Vous avez tant d'Iris, de Philis, d'Amarantes,
Que partout dans vos vers vous peignez si charmantes,
Et pour qui vous jurez tant d'amoureuse ardeur...

TRISSOTIN

C'est mon esprit qui parle, et ce n'est pas mon cœur.
D'elles on ne me voit amoureux qu'en poète ;
Mais j'aime tout de bon l'adorable Henriette.

HENRIETTE

Eh ! de grâce, Monsieur...

TRISSOTIN

Si c'est vous offenser,
Mon offense envers vous n'est pas prête à cesser.
Cette ardeur, jusqu'ici de vos yeux ignorée,
Vous consacre des vœux d'éternelle durée ;
Rien n'en peut arrêter les aimables transports ;
Et, bien que vos beautés condamnent mes efforts,
Je ne puis refuser le secours d'une mère
Qui prétend couronner une flamme si chère ;
Et pourvu que j'obtienne un bonheur si charmant,
Pourvu que je vous aie, il n'importe comment.

HENRIETTE

Mais savez-vous qu'on risque un peu plus qu'on ne pense
À vouloir sur un cœur user de violence ?
Qu'il ne fait pas bien sûr, à vous le trancher net,
D'épouser une fille en dépit qu'elle en ait,
Et qu'elle peut aller, en se voyant contraindre,
À des ressentiments que le mari doit craindre ?

TRISSOTIN

Un tel discours n'a rien dont je sois altéré ;
À tous événements le sage est préparé ;
Guéri par la raison des faiblesses vulgaires,
Il se met au-dessus de ces sortes d'affaires,
Et n'a garde de prendre aucune ombre d'ennui
De tout ce qui n'est pas pour dépendre de lui.

HENRIETTE

En vérité, Monsieur, je suis de vous ravie ;
Et je ne pensais pas que la philosophie
Fût si belle qu'elle est, d'instruire ainsi les gens
À porter constamment de pareils accidents.
Cette fermeté d'âme, à vous si singulière,
Mérite qu'on lui donne une illustre matière,
Est digne de trouver qui prenne avec amour
Les soins continuels de la mettre en son jour ;
Et comme, à dire vrai, je n'oserais me croire
Bien propre à lui donner tout l'éclat de sa gloire,
Je le laisse à quelque autre, et vous jure entre nous
Que je renonce au bien de vous voir mon époux.

TRISSOTIN

Nous allons voir bientôt comment ira l'affaire,
Et l'on a là-dedans fait venir le Notaire.

SCÈNE II

CHRYSALE, CLITANDRE, MARTINE, HENRIETTE

CHRYSALE

Ah, ma fille ! je suis bien aise de vous voir.
Allons, venez-vous-en faire votre devoir,
Et soumettre vos vœux aux volontés d'un père.
Je veux, je veux apprendre à vivre à votre mère,
Et, pour la mieux braver, voilà, malgré ses dents,
Martine que j'amène, et rétablis céans.

HENRIETTE

Vos résolutions sont dignes de louange.
Gardez que cette humeur, mon père, ne vous change,
Soyez ferme à vouloir ce que vous souhaitez,
Et ne vous laissez point séduire à vos bontés ;
Ne vous relâchez pas, et faites bien en sorte
D'empêcher que sur vous ma mère ne l'emporte.

CHRYSALE

Comment ? Me prenez-vous ici pour un benêt ?

HENRIETTE

M'en préserve le Ciel !

CHRYSALE

Suis-je un fat, s'il vous plaît ?

HENRIETTE

Je ne dis pas cela.

CHRYSALE

Me croit-on incapable
Des fermes sentiments d'un homme raisonnable ?

HENRIETTE

Non, mon père.

CHRYSALE

Est-ce donc qu'à l'âge où je me vois,
Je n'aurais pas l'esprit d'être maître chez moi ?

HENRIETTE

Si fait.

CHRYSALE

Et que j'aurais cette faiblesse d'âme,
De me laisser mener par le nez à ma femme ?

HENRIETTE

Eh ! non, mon père.

CHRYSALE

Ouais ! qu'est-ce donc que ceci ?
Je vous trouve plaisante à me parler ainsi.

HENRIETTE

Si je vous ai choqué, ce n'est pas mon envie.

CHRYSALE

Ma volonté céans doit être en tout suivie.

HENRIETTE

Fort bien, mon père.

CHRYSALE

Aucun, hors moi, dans la maison,
N'a droit de commander.

HENRIETTE

Oui, vous avez raison.

CHRYSALE

C'est moi qui tiens le rang de chef de la famille.

HENRIETTE

D'accord.

CHRYSALE

C'est moi qui dois disposer de ma fille.

HENRIETTE

Eh ! oui.

CHRYSALE

Le Ciel me donne un plein pouvoir sur vous.

HENRIETTE

Qui vous dit le contraire ?

CHRYSALE

Et pour prendre un époux,
Je vous ferai bien voir que c'est à votre père
Qu'il vous faut obéir, non pas à votre mère.

HENRIETTE

Hélas ! vous flattez là les plus doux de mes vœux.
Veuillez être obéi, c'est tout ce que je veux.

CHRYSALE

Nous verrons si ma femme, à mes désirs rebelle…

CLITANDRE

La voici qui conduit le Notaire avec elle.

CHRYSALE

Secondez-moi bien tous.

MARTINE

Laissez-moi, j'aurai soin
De vous encourager, s'il en est de besoin.

SCÈNE III

PHILAMINTE, BÉLISE, ARMANDE, TRISSOTIN,
LE NOTAIRE CHRYSALE, CLITANDRE, HENRIETTE, MARTINE

PHILAMINTE

Vous ne sauriez changer votre style sauvage,
Et nous faire un contrat qui soit en beau langage ?

LE NOTAIRE

Notre style est très bon, et je serais un sot,
Madame, de vouloir y changer un seul mot.

BÉLISE

Ah ! quelle barbarie au milieu de la France !
Mais au moins, en faveur, Monsieur, de la science,
Veuillez, au lieu d'écus, de livres et de francs,
Nous exprimer la dot en mines et talents,
Et dater par les mots d'ides et de calendes.

LE NOTAIRE

Moi ? Si j'allais, Madame, accorder vos demandes,
Je me ferais siffler de tous mes compagnons.

PHILAMINTE

De cette barbarie en vain nous nous plaignons.
Allons, Monsieur, prenez la table pour écrire.
Ah ! ah ! cette impudente ose encor se produire ?
Pourquoi donc, s'il vous plaît, la ramener chez moi ?

CHRYSALE

Tantôt, avec loisir, on vous dira pourquoi.
Nous avons maintenant autre chose à conclure.

LE NOTAIRE

Procédons au contrat. Où donc est la future ?

PHILAMINTE

Celle que je marie est la cadette.

LE NOTAIRE

Bon.

CHRYSALE

Oui. La voilà, Monsieur ; Henriette est son nom.

LE NOTAIRE

Fort bien. Et le futur ?

PHILAMINTE

L'époux que je lui donne
Est Monsieur.

CHRYSALE

Et celui, moi, qu'en propre personne
Je prétends qu'elle épouse, est Monsieur.

LE NOTAIRE

Deux époux !
C'est trop pour la coutume.

PHILAMINTE

Où vous arrêtez-vous ?
Mettez, mettez, Monsieur, Trissotin pour mon gendre.

CHRYSALE

Pour mon gendre, mettez, mettez, Monsieur, Clitandre.

LE NOTAIRE

Mettez-vous donc d'accord, et d'un jugement mûr
Voyez à convenir entre vous du futur.

PHILAMINTE

Suivez, suivez, Monsieur, le choix où je m'arrête.

CHRYSALE

Faites, faites, Monsieur, les choses à ma tête.

LE NOTAIRE

Dites-moi donc à qui j'obéirai des deux ?

PHILAMINTE

Quoi donc ! Vous combattez les choses que je veux ?

CHRYSALE

Je ne saurais souffrir qu'on ne cherche ma fille
Que pour l'amour du bien qu'on voit dans ma famille.

PHILAMINTE

Vraiment, à votre bien on songe bien ici,
Et c'est là pour un sage un fort digne souci !

CHRYSALE

Enfin, pour son époux j'ai fait choix de Clitandre.

PHILAMINTE

Et moi, pour son époux, voici qui je veux prendre :
Mon choix sera suivi, c'est un point résolu.

CHRYSALE

Ouais ! vous le prenez là d'un ton bien absolu.

MARTINE

Ce n'est point à la femme à prescrire, et je sommes
Pour céder le dessus en toute chose aux hommes.

CHRYSALE

C'est bien dit.

MARTINE

Mon congé cent fois me fût-il hoc,
La poule ne doit point chanter devant le coq.

CHRYSALE

Sans doute.

MARTINE

Et nous voyons que d'un homme on se gausse,
Quand sa femme chez lui porte le haut-de-chausses.

CHRYSALE

Il est vrai.

MARTINE

Si j'avais un mari, je le dis,
Je voudrais qu'il se fît le maître du logis ;
Je ne l'aimerais point, s'il faisait le jocrisse ;
Et si je contestais contre lui par caprice,
Si je parlais trop haut, je trouverais fort bon
Qu'avec quelques soufflets il rabaissât mon ton.

CHRYSALE

C'est parler comme il faut.

MARTINE

Monsieur est raisonnable,
De vouloir pour sa fille un mari convenable.

CHRYSALE

Oui.

MARTINE

Par quelle raison, jeune et bien fait qu'il est,
Lui refuser Clitandre ? Et pourquoi, s'il vous plaît,
Lui bailler un savant, qui sans cesse épilogue ?
Il lui faut un mari, non pas un pédagogue ;
Et ne voulant savoir le grais, ni le latin,
Elle n'a pas besoin de Monsieur Trissotin.

CHRYSALE

Fort bien.

PHILAMINTE

Il faut souffrir qu'elle jase à son aise.

MARTINE

Les savants ne sont bons que pour prêcher en chaise ;
Et pour mon mari, moi, mille fois je l'ai dit,
Je ne voudrais jamais prendre un homme d'esprit.
L'esprit n'est point du tout ce qu'il faut en ménage ;
Les livres cadrent mal avec le mariage ;
Et je veux, si jamais on engage ma foi,
Un mari qui n'ait point d'autre livre que moi,
Qui ne sache A ne B, n'en déplaise à Madame,
Et ne soit en un mot docteur que pour sa femme.

PHILAMINTE

Est-ce fait ? et sans trouble ai-je assez écouté
Votre digne interprète ?

CHRYSALE

Elle a dit vérité.

PHILAMINTE

Et moi, pour trancher court toute cette dispute,
Il faut qu'absolument mon désir s'exécute.
Henriette et Monsieur seront joints de ce pas :
Je l'ai dit, je le veux : ne me répliquez pas ;
Et si votre parole à Clitandre est donnée,
Offrez-lui le parti d'épouser son aînée.

CHRYSALE

Voilà dans cette affaire un accommodement.
Voyez, y donnez-vous votre consentement ?

HENRIETTE

Eh, mon père !

CLITANDRE

Eh, Monsieur !

BÉLISE

On pourrait bien lui faire
Des propositions qui pourraient mieux lui plaire :
Mais nous établissons une espèce d'amour
Qui doit être épuré comme l'astre du jour :
La substance qui pense y peut être reçue,
Mais nous en bannissons la substance étendue.

SCÈNE DERNIÈRE

ARISTE, CHRYSALE, PHILAMINTE, BÉLISE, HENRIETTE, ARMANDE, TRISSOTIN, LE NOTAIRE, CLITANDRE, MARTINE

ARISTE

J'ai regret de troubler un mystère joyeux
Par le chagrin qu'il faut que j'apporte en ces lieux.
Ces deux lettres me font porteur de deux nouvelles,
Dont j'ai senti pour vous les atteintes cruelles :
L'une, pour vous, me vient de votre procureur ;
L'autre, pour vous, me vient de Lyon.

PHILAMINTE

Quel malheur,
Digne de nous troubler, pourrait-on nous écrire ?

ARISTE

Cette lettre en contient un que vous pouvez lire.

PHILAMINTE

Madame, j'ai prié Monsieur votre frère de vous rendre cette lettre, qui vous dira ce que je n'ai osé vous aller dire. La grande négligence que vous avez pour vos affaires a été cause que le clerc de votre rapporteur ne m'a point averti, et vous avez perdu absolument votre procès que vous deviez gagner.

CHRYSALE

Votre procès perdu !

PHILAMINTE

Vous vous troublez beaucoup !
Mon cœur n'est point du tout ébranlé de ce coup.
Faites, faites paraître une âme moins commune,
À braver, comme moi, les traits de la fortune.

Le peu de soin que vous avez vous coûte quarante mille écus, et c'est à payer cette somme, avec les dépens, que vous êtes condamnée par arrêt de la Cour.

Condamnée ! Ah ! ce mot est choquant, et n'est fait
Que pour les criminels.

ARISTE

Il a tort en effet,
Et vous vous êtes là justement récriée.
Il devait avoir mis que vous êtes priée,
Par arrêt de la Cour, de payer au plus tôt,
Quarante mille écus, et les dépens qu'il faut.

PHILAMINTE

Voyons l'autre.

CHRYSALE *lit.*

Monsieur, l'amitié qui me lie à Monsieur votre frère me fait prendre intérêt à tout ce qui vous touche. Je sais que vous avez mis votre bien entre les mains d'Argante et de Damon, et je vous donne avis qu'en même jour ils ont fait tous deux banqueroute.

Ô Ciel ! tout à la fois perdre ainsi tout mon bien !

PHILAMINTE

Ah ! quel honteux transport ! Fi ! tout cela n'est rien.
Il n'est pour le vrai sage aucun revers funeste,
Et perdant toute chose, à soi-même il se reste.
Achevons notre affaire, et quittez votre ennui :
Son bien peut nous suffire, et pour nous, et pour lui.

TRISSOTIN

Non, Madame : cessez de presser cette affaire.
Je vois qu'à cet hymen tout le monde est contraire,
Et mon dessein n'est point de contraindre les gens.

PHILAMINTE

Cette réflexion vous vient en peu de temps !
Elle suit de bien près, Monsieur, notre disgrâce.

TRISSOTIN

De tant de résistance à la fin je me lasse.
J'aime mieux renoncer à tout cet embarras,
Et ne veux point d'un cœur qui ne se donne pas.

PHILAMINTE

Je vois, je vois de vous, non pas pour votre gloire,
Ce que jusques ici j'ai refusé de croire.

TRISSOTIN

Vous pouvez voir de moi tout ce que vous voudrez,
Et je regarde peu comment vous le prendrez.
Mais je ne suis point homme à souffrir l'infamie
Des refus offensants qu'il faut qu'ici j'essuie ;
Je vaux bien que de moi l'on fasse plus de cas,
Et je baise les mains à qui ne me veut pas.

PHILAMINTE

Qu'il a bien découvert son âme mercenaire !
Et que peu philosophe est ce qu'il vient de faire !

CLITANDRE

Je ne me vante point de l'être, mais enfin
Je m'attache, Madame, à tout votre destin.
Et j'ose vous offrir avecque ma personne
Ce qu'on sait que de bien la fortune me donne.

PHILAMINTE

Vous me charmez, Monsieur, par ce trait généreux,
Et je veux couronner vos désirs amoureux.
Oui, j'accorde Henriette à l'ardeur empressée...

HENRIETTE

Non, ma mère : je change à présent de pensée.
Souffrez que je résiste à votre volonté.

CLITANDRE

Quoi ? vous vous opposez à ma félicité ?
Et lorsqu'à mon amour je vois chacun se rendre...

HENRIETTE

Je sais le peu de bien que vous avez, Clitandre,
Et je vous ai toujours souhaité pour époux,
Lorsqu'en satisfaisant à mes vœux les plus doux,
J'ai vu que mon hymen ajustait vos affaires ;
Mais lorsque nous avons les destins si contraires,
Je vous chéris assez dans cette extrémité
Pour ne vous charger point de notre adversité.

CLITANDRE

Tout destin, avec vous, me peut être agréable ;
Tout destin me serait, sans vous, insupportable.

HENRIETTE

L'amour dans son transport parle toujours ainsi.
Des retours importuns évitons le souci :
Rien n'use tant l'ardeur de ce nœud qui nous lie
Que les fâcheux besoins des choses de la vie ;
Et l'on en vient souvent à s'accuser tous deux
De tous les noirs chagrins qui suivent de tels feux.

ARISTE

N'est-ce que le motif que nous venons d'entendre
Qui vous fait résister à l'hymen de Clitandre ?

HENRIETTE

Sans cela, vous verriez tout mon cœur y courir,
Et je ne fuis sa main que pour le trop chérir.

ARISTE

Laissez-vous donc lier par des chaînes si belles.
Je ne vous ai porté que de fausses nouvelles ;
Et c'est un stratagème, un surprenant secours,
Que j'ai voulu tenter pour servir vos amours,
Pour détromper ma sœur, et lui faire connaître
Ce que son philosophe à l'essai pouvait être.

CHRYSALE

Le Ciel en soit loué !

PHILAMINTE

J'en ai la joie au cœur,
Par le chagrin qu'aura ce lâche déserteur.
Voilà le châtiment de sa basse avarice,
De voir qu'avec éclat cet hymen s'accomplisse.

CHRYSALE

Je le savais bien, moi, que vous l'épouseriez.

ARMANDE

Ainsi donc à leurs vœux vous me sacrifiez ?

PHILAMINTE

Ce ne sera point vous que je leur sacrifie,
Et vous avez l'appui de la philosophie,
Pour voir d'un œil content couronner leur ardeur.

BÉLISE

Qu'il prenne garde au moins que je suis dans son cœur :
Par un prompt désespoir souvent on se marie,
Qu'on s'en repent après tout le temps de sa vie.

CHRYSALE

Allons, Monsieur, suivez l'ordre que j'ai prescrit,
Et faites le contrat ainsi que je l'ai dit.

La scène à jouer

Dossier réalisé par Guillaume Poix,
comédien, metteur en scène et dramaturge
formé au cours Florent et à l'École Nationale
Supérieure des Arts et Techniques du Théâtre.

Molière aujourd'hui et demain

Dans ce dossier, vous trouverez :

1. Un propos introductif évoquant certaines des problématiques traitées par Molière dans *Les Femmes savantes,* et proposant une contextualisation contemporaine des enjeux de l'œuvre. Ouvrant de larges pistes de réflexion, ces quelques paragraphes tissent des échos avec la littérature contemporaine, la sociologie ou des phénomènes de société actuels dans le but d'instaurer un véritable débat entre le texte, le professeur et les élèves. L'objectif est ici d'engager le questionnement que toute équipe artistique, désireuse de « monter » la pièce aujourd'hui, est amenée à produire pour saisir ce qui fait sa singularité, tout autant que sa modernité. Tout en respectant rigoureusement l'intégrité historique de l'œuvre, il s'agit ainsi de la rendre plus proche des élèves, afin qu'elle ne se fige pas dans un passé littéraire patrimonial, mais demeure bien vivante à leurs yeux, comme l'est l'art théâtral.

2. Un focus précis sur une scène emblématique de l'œuvre afin d'accompagner un éventuel passage au plateau. La partie intitulée « À la table » balaye les questions dramaturgiques fondamentales de la scène concernée. C'est le type de point méthodique qu'un dramaturge est amené à faire « à la table », justement, en compagnie de l'équipe artistique avant de monter sur scène afin de recontextualiser les enjeux et de donner des éléments de sens. La seconde partie intitulée « Au plateau » propose des exemples de notes de mise en scène permettant d'amorcer un travail de jeu avec les élèves. Ce sont des indications qu'un metteur en scène est susceptible de consigner sur un carnet, fort des étapes dramaturgiques précédentes, afin d'appuyer sa direction d'acteurs et de convertir l'écriture textuelle en paroles, en espaces et en corps. Ce faisant, il prend parti sur le texte et signe un point de vue propre à singulariser son travail. L'objectif de ce focus est ainsi de réaffirmer la destination première de tout texte théâtral : le plateau.

I. Molière : tout de suite, là, maintenant !

« La poule ne doit point chanter devant le coq » ?

Le 8 octobre 2013 éclatait en France ce que l'on a nommé « L'affaire de la Poule ». Dans l'Hémicycle français, lors d'une séance hebdomadaire de travail du Parlement retransmise, comme de coutume, à la télévision, une députée qui avait la parole a vu son propos parasité par un bruit lancinant et désobligeant. Quel était donc ce bruit ? Des cris d'animaux ! En effet, un député du camp opposé exposa sa conception des rapports entre les sexes en se livrant à une symphonie volaillère, émaillant le discours de sa collègue d'une salve de cris imitant la poule. Il fut en effet avéré que l'objet de cette intervention pour le moins remarquée n'avait d'autre sens que de manifester un véritable sexisme.

Le sexisme consiste à penser que certaines prérogatives sont liées au sexe : ce mode de pensée, qui est aussi un comportement, provoque des attitudes discriminatoires et volontiers insultantes, comme on peut le voir dans cette affaire qui a tout d'une farce et que Molière ne renierait pas. Derrière le sexisme, c'est évidemment la question de l'égalité entre les hommes et les femmes qui se pose dans nos sociétés contemporaines. Ainsi, ce que suggère ce député dont on aura au moins appris qu'il maîtrise le langage animal, c'est que la fonction parlementaire doit être exercée par les hommes. Les femmes n'ont pas à diriger la cité, elles ne sont bonnes qu'à obéir aux volontés des hommes. Confortant en tout point la conception du rapport entre les sexes de Chrysale dans *Les Femmes savantes,* telle qu'elle est exprimée par sa porte-parole et néanmoins servante Martine, cette attitude vise à affirmer que la femme, reléguée au rang de poule, « ne doit point chanter devant le coq ».

Le torchon brûle !

Au plus haut niveau de la représentation nationale, il existe donc encore des conduites qui semblent provenir du fond des âges. Il est fréquent qu'à l'Assemblée nationale certaines femmes députées soient moquées en raison de leur apparence physique ou vestimentaire. Il existe même une offensive langagière contre l'avancée du droit des femmes : on va jusqu'à refuser le féminin des mots. Ainsi, en octobre 2014, une pétition fut signée par 142 femmes universitaires pour protester contre le dévoiement de la langue française : quelques députés avaient refusé de dire « madame la Présidente » à celle qui présidait la séance, préférant dire « madame le Président »...

Ces anecdotes témoignent, dans notre civilisation, de la persistance d'une thématique déjà abordée par Molière dans *Les Femmes savantes.* Philaminte, Bélise et Armande incarnent la volonté de savoir et d'éducation de femmes traditionnellement dévouées à des tâches domestiques ou familiales. S'extraire ainsi d'une condition prédéterminée par l'instance masculine constitue un véritable acte de rébellion sociale. Ce n'est pas Chrysale qui gouverne le foyer : c'est Philaminte, et ce renversement d'ordre est tout à fait subversif dans un monde encore structuré par le patriarcat, c'est-à-dire régi par la seule autorité de l'homme.

Servitude volontaire ?

L'univers dans lequel nous plonge Molière n'est pas pour autant très enviable. Car si les femmes ne sont pas, en apparence, soumises à la domination masculine, les choses sont troubles... Bélise, par exemple, incarne avec éclat la figure de l'érotomane. Persuadée d'être aimée par tous les hommes qui croisent son chemin, elle se montre en réalité prisonnière de son désir d'être désirée. Elle est donc captive des hommes et de leur regard, d'une manière qui n'est pas économique ni purement domestique. Armande aussi est obsédée par la question amoureuse : elle manifeste un rapport problématique au corps, à la chair. Un temps courtisée par Clitandre, elle ne se remet pas du désamour de celui-ci et voudrait ne vivre avec lui qu'un lien platonique quand le jeune homme désire au contraire jouir de toutes les dimensions de l'amour ! Le savoir apparaît donc, chez elle, comme un refuge auprès des « forces de l'esprit » pour congédier le corps, « la matière » et ses vicissitudes. Armande incarne ainsi l'une des facettes de la précieuse : la sensualité cause en elle une authentique panique.

Philaminte, enfin, semble jouir des sciences et de la philosophie par goût pour l'autorité que cela lui confère, notamment au sein de son foyer. Il y a chez elle un plaisir à se sentir supérieurement instruite, en même temps qu'un fort élan pour le snobisme, cette attitude mondaine qui consiste à orienter ses goûts conformément à la mode et non à l'inclination véritable. Érotomane, précieuse, snob : le portrait proposé par Molière des femmes qui ont choisi le parti de la connaissance afin de contrer leur détermination sociale est pour le moins sévère !

Moi, savant

Dans le camp adverse, Henriette et Martine sont des figures tout aussi troubles. Si Henriette se montre plus fine que ses mères, tante et sœur, elle incarne aussi une conception discutable de la femme, que résume grossièrement le fameux adage « Sois belle et tais-toi », conforme en tout cas à ce que Clitandre considère comme la femme idéale : « Et j'aime que souvent, aux questions qu'on fait, / Elle sache ignorer les choses qu'elle sait. » Clitandre ne refuse pas le savoir à une femme, mais son opinion est équivoque : elle suggère qu'il n'est pas convenable pour une femme de se poser comme une figure savante. En clair, la femme devrait laisser à l'homme le privilège d'exprimer sa connaissance... Henriette s'accorde en tout point avec son amant, rejoignant également le point de vue de Martine. On a donc dans *Les Femmes savantes* une vision encore bien datée des rapports entre les sexes.

Mais les hommes ne sont pas non plus exempts de sottise : Trissotin en est l'emblème par sa pédanterie, Chrysale, par sa lâcheté. C'est donc le genre humain dans son ensemble que croque Molière. Mais ce qu'il dénonce surtout semble être, plus généralement, ce rapport vicié au savoir et à la connaissance qui produit des amalgames et de la confusion. Les doctrines philosophiques et les observations scientifiques manipulées par les personnages dits « savants » sont instrumentalisées au profit d'une volonté de puissance. Il s'agit pour eux de briller, de paraître et donc de dominer. La dénaturation des systèmes de pensées platonicien ou épicurien par exemple rend compte du danger que font courir la bêtise et la vanité à la connaissance véritable. Survoler, picorer, déformer sont des violences exercées contre la pensée humaine ; Molière nous invite, semble-t-il, à rester vigilant concernant notre rapport au savoir : le péril de l'ignorance est tout aussi néfaste que celui de l'orgueil.

II. La scène à jouer

Acte II, scène VI (Philaminte, Bélise, Chrysale, Martine)

À la table

Qui

Quatre personnages sont présents dans cette scène. Philaminte, dont c'est ici la première apparition, est la femme de Chrysale et dirige sa maison avec une fermeté notable. Elle impose sa loi, qu'elle estime éclairée et savante, à sa famille qui lui obéit d'ailleurs docilement, Chrysale en premier lieu. Cet homme résolument lâche aime sa tranquillité et se montre singulièrement dépassé par la tournure qu'ont pris les choses chez lui... Bélise, sœur de Chrysale, est tout acquise à la cause de Philaminte. Elle participe à l'activité intellectuelle qui anime la maison et soutient l'entreprise volontariste de sa belle-sœur qui désire apporter le savoir au sein de son foyer. Le quatrième personnage est d'un rang socialement inférieur : Martine est en effet la servante de la maison, et le spectateur la rencontre ici pour la première fois.

Quand

Après avoir pris connaissance des enjeux principaux de l'intrigue dans l'acte d'exposition, le spectateur va voir à l'œuvre ce qui lui a été annoncé par différents protagonistes. Il va ainsi faire connaissance avec Philaminte, personnage majeure de la pièce, dont Molière propose un portrait en situation tout à fait conforme à la description réalisée par Henriette ou Chrysale. Cette scène ne traite donc pas du fil principal – le mariage d'Henriette et de Clitandre –, mais met en présence, pour la première fois, le couple conjugal formé par Chrysale et Philaminte, dont nous pouvons observer ici le fonctionnement domestique.

Quoi

Nous assistons à une scène de licenciement qu'on peut aisément qualifier d'abusif ! Martine est en effet chassée de la maison de Philaminte et Chrysale parce qu'elle a manqué, non pas aux règles domestiques, mais aux lois grammaticales. Face à son employeuse qui lui signifie violemment son congé, Martine en appelle à Chrysale, lequel cherche à comprendre les raisons explicites de ce renvoi pour le moins singulier... C'est donc en raison de son usage maladroit de la langue que Martine se voit « remerciée ». La disproportion comique entre la faute commise – dont la révélation est habilement retardée par Molière dans la scène – et la sentence prononcée amorce une scène dynamique et tonitruante. Y triomphe la volonté inflexible – un rien extravagante – de la dépositaire de l'autorité familiale, Philaminte en l'occurrence.

Comment

L'échange à quatre voix qui se déploie ici se fait dans un rythme effréné. L'usage abondant que fait Molière des stichomythies témoigne de cet emballement des répliques. Deux logiques s'opposent ainsi : celle de Chrysale et Martine d'une part, qui ne comprennent pas l'outrance du châtiment imposé par les deux « femmes savantes », celle de Philaminte et Bélise, d'autre part, déterminées à se débarrasser de leur servante. Mais ce sont aussi deux langages qui s'affrontent. En réponse au langage policé des maîtres du logis, Martine utilise une langue qui renvoie au parler populaire de l'époque. Si Chrysale soutient Martine, il demeure toutefois incapable de raisonner sa femme : sa lâcheté s'exprime de manière comique et constitue le ressort même de la scène. Timidement opposé, il en vient à consentir à un acte injuste et à appuyer la décision de sa femme. Sa faiblesse rend ainsi possible l'établissement d'un ordre arbitraire dont il devient le piteux complice.

Au plateau : à vous de jouer !

PHILAMINTE

Quoi ? je vous vois, maraude ?
Vite, sortez, friponne ; allons, quittez ces lieux,
Et ne vous présentez jamais devant mes yeux.

(La scène commence de manière insolite : à peine entrée, Martine est congédiée. Philaminte veut faire d'une entrée en scène une sortie de scene immédiate ! C'est aussi notre premier contact avec Philaminte. Son langage, insultes et hyperboles, est un indice de sa personnalité excessive et radicale.)

CHRYSALE

Tout doux.

PHILAMINTE

Non, c'en est fait.

(Expression emblématique du recours de Philaminte à un lexique tragique : « C'en est fait » est en effet fréquemment utilisé dans la tragédie classique et scelle en général le caractère inexorable d'un événement. Ici, cet usage est évidemment comique puisque l'événement dont il est question est anecdotique. Plus Philaminte affectera donc des airs de tragédienne, ou plus elle exagérera les manifestations de son émotion – sincère –, plus la scène sera drôle.)

CHRYSALE

Eh !

PHILAMINTE

Je veux qu'elle sorte.

CHRYSALE

Mais qu'a-t-elle commis, pour vouloir de la sorte...

PHILAMINTE

Quoi ? vous la soutenez ?

(Devant l'interrogation légitime de Chrysale, Philaminte riposte immédiatement : elle veut couper court à ce qu'elle prend comme une manifestation de dissidence. Alors qu'elle traitait jusqu'ici de l'autorité sociale, la scène bifurque soudain sur la question de l'autorité conjugale...)

CHRYSALE

En aucune façon.

(Réponse comique de Chrysale : sans savoir l'objet de la querelle, il affirme d'emblée son accord avec sa femme. C'est évidemment sa peur qui transparaît ici, et une première illustration, en acte, de sa lâcheté.)

PHILAMINTE

Prenez-vous son parti contre moi ?

(Philaminte s'emporte vite : après la menace vient l'ultimatum déguisé.)

CHRYSALE

Mon Dieu ! non :

(Jouer la sincère terreur de Chrysale : il ne s'aviserait jamais de s'opposer à sa femme... Dans l'économie de la pièce, cette réplique possède un sens fort puisqu'elle contredit les résolutions précédentes de Chrysale qui affirmait vouloir s'élever contre le pouvoir tyrannique de son épouse... Cette intention s'est vite éteinte...)

Je ne fais seulement que demander son crime.

(Utilisation volontaire de l'hyperbole « crime » : étant donné l'excès de la réaction de Philaminte, il y a tout lieu de penser que Martine a commis un véritable crime... Ce terme scelle le malentendu.)

PHILAMINTE

Suis-je pour la chasser sans cause légitime ?

CHRYSALE

Je ne dis pas cela ; mais il faut de nos gens...

PHILAMINTE

Non ; elle sortira, vous dis-je, de céans.

CHRYSALE

Hé bien ! oui : vous dit-on quelque chose là contre ?

PHILAMINTE

Je ne veux point d'obstacle aux désirs que je montre.

CHRYSALE

D'accord.

(Le retournement de Chrysale témoigne de la faiblesse de sa détermination. Face aux désirs de sa femme, le pauvre n'a rien à redire, il obéit, dût-il abandonner ses principes. Le caractère comique de la scène repose évidemment aussi sur ce rapport de force inversé, car dans les

REPRÉSENTATIONS TRADITIONNELLES, DATÉES DONC, C'EST LA FEMME QUI OBÉIT AU MARI...)

PHILAMINTE

Et vous devez, en raisonnable époux,
Être pour moi contre elle, et prendre mon courroux.

CHRYSALE

Aussi fais-je. Oui, ma femme avec raison vous chasse,
Coquine, et votre crime est indigne de grâce.

(DERNIÈRE ÉTAPE DU RENVERSEMENT : CHRYSALE EN VIENT À PRONONCER LA SENTENCE VOULUE PAR PHILAMINTE, AU NOM DE SA DOCILITÉ. SON ARDEUR À SE RANGER SOUDAIN DERRIÈRE SA FEMME DEVIENT DONC PROPREMENT INSENSÉE PUISQU'ELLE NE REPOSE SUR AUCUN MOTIF RAISONNABLE NI OBJECTIF.)

MARTINE

Qu'est-ce donc que j'ai fait ?

(PREMIÈRE PRISE DE PAROLE DE « LA COUPABLE », MISE DEVANT SA SENTENCE SANS AVOIR ÉTÉ ENTENDUE. C'EST L'EXEMPLE MÊME D'UNE JUSTICE EXPÉDITIVE ET ARBITRAIRE.)

CHRYSALE

Ma foi ! je ne sais pas.

(ACCENTUATION COMIQUE DE LA LOGIQUE DE CHRYSALE : IGNORANT, CELA NE L'EMPÊCHE PAS DE JUGER...)

PHILAMINTE

Elle est d'humeur encore à n'en faire aucun cas.

CHRYSALE

A-t-elle, pour donner matière à votre haine,
Cassé quelque miroir ou quelque porcelaine ?

(DÉBUT D'UN JEU DE QUESTIONS IMITANT UN INTERROGATOIRE. CHRYSALE VA S'ENQUÉRIR DES MOTIFS DU RENVOI EN POSANT DES QUESTIONS VRAISEMBLABLES, OU EN TOUT CAS LIÉES À LA FONCTION DE MARTINE.)

PHILAMINTE

Voudrais-je la chasser, et vous figurez-vous
Que pour si peu de chose on se mette en courroux ?

(PHILAMINTE PRONONCE ICI UNE PHRASE TOUT À FAIT SENSÉE... OR, QUAND ON DÉCOUVRE LE MOTIF DU RENVOI, ON LA REÇOIT, RÉTROSPECTIVEMENT, AVEC IRONIE.)

CHRYSALE

Qu'est-ce à dire ? L'affaire est donc considérable ?

PHILAMINTE

Sans doute. Me voit-on femme déraisonnable ?
(QUESTION ORATOIRE : PHILAMINTE SE SAIT TOUT À FAIT « RAISONNABLE ». MÊME EFFET IRONIQUE ICI.)

CHRYSALE

Est-ce qu'elle a laissé, d'un esprit négligent,
Dérober quelque aiguière ou quelque plat d'argent ?

PHILAMINTE

Cela ne serait rien.

CHRYSALE

Oh, oh ! peste, la belle !
Quoi ? l'avez-vous surprise à n'être pas fidèle ?

PHILAMINTE

C'est pis que tout cela.

CHRYSALE

Pis que tout cela ?

PHILAMINTE

Pis.

CHRYSALE

Comment diantre, friponne ! Euh ? a-t-elle commis...
(FIN DE L'INTERROGATOIRE : CHRYSALE QUI L'A MENÉ SUR LE MODE DE LA GRADATION, ALLANT DU MOTIF LE PLUS INSIGNIFIANT AU PLUS GRAVE, SE TROUVE ICI DÉPOURVU D'IDÉES. SON IMAGINATION, ET DONC LA NÔTRE, DOIT FAIRE SURGIR DE VÉRITABLES CRIMES...)

PHILAMINTE

Elle a, d'une insolence à nulle autre pareille,
Après trente leçons, insulté mon oreille
Par l'impropriété d'un mot sauvage et bas
Qu'en termes décisifs condamne Vaugelas.
(RÉVÉLATION DU RENVOI : IL FAUT BIEN SÛR JOUER L'ASPECT TRÈS GRAVE QUE CELA REVÊT POUR PHILAMINTE ET PRENDRE AU SÉRIEUX UN ÉTAT D'ÉGAREMENT OU DE GRANDE ÉMOTION. PLUS L'ACTRICE SE MONTRERA CHOQUÉE, PLUS LE CONTRASTE SERA COMIQUE.

Il faut marquer un temps après cette révélation pour que sonne son ridicule !)

CHRYSALE

Est-ce là…

PHILAMINTE

Quoi ? toujours, malgré nos remontrances,
Heurter le fondement de toutes les sciences,
La grammaire, qui sait régenter jusqu'aux rois,
Et les fait la main haute obéir à ses lois ?

(Profession de foi de Philaminte et affirmation de son échelle de valeurs : le respect de la langue surpasse toute autre préoccupation. Brutaliser la langue, c'est se rendre coupable du pire des outrages. On voit ici que le contraste comique repose sur une différence de niveaux, et donc un malentendu : Chrysale, à juste titre, s'attendait à un « crime » matériel, ou du moins concret, tandis que Philaminte se montre traumatisée par une faute rhétorique, appartenant au registre de la pensée, non de l'action, et n'ayant de conséquence qu'immatérielle.)

CHRYSALE

Du plus grand des forfaits je la croyais coupable.

PHILAMINTE

Quoi ? Vous ne trouvez pas ce crime impardonnable ?

CHRYSALE

Si fait.

PHILAMINTE

Je voudrais bien que vous l'excusassiez.

CHRYSALE

Je n'ai garde.

(Chrysale obéit une nouvelle fois à sa lâcheté et demeure incapable de dire ce qu'il pense vraiment : il est véritablement paralysé par sa crainte.)

BÉLISE

Il est vrai que ce sont des pitiés :
Toute construction est par elle détruite,
Et des lois du langage on l'a cent fois instruite.

(Première intervention de Bélise dans la scène : il faut donc se pencher sur le traitement de sa présence jusqu'ici. Tout aussi impliquée que Philaminte, Bélise doit appuyer et conforter les prises de parole de sa belle-sœur et faire corps avec elle. Le propos qu'elle adresse ici reprend en effet celui de Philaminte et témoigne d'une même obsession.)

MARTINE

Tout ce que vous prêchez est, je crois, bel et bon ;
Mais je ne saurais, moi, parler votre jargon.

(Utilisation habile par Martine du terme « jargon » qui renverse les perspectives : le mot peut en effet vouloir désigner tout langage incorrect. Accusée de maltraiter la langue, Martine provoque sans s'en apercevoir Philaminte et Bélise. Il faut ici prendre au sérieux le verbe « savoir » employé au conditionnel. L'humilité de Martine la fait revendiquer son incapacité à utiliser la même langue que ses maîtresses.)

PHILAMINTE

L'impudente ! appeler un jargon le langage
Fondé sur la raison et sur le bel usage !

MARTINE

Quand on se fait entendre, on parle toujours bien,
Et tous vos biaux dictons ne servent pas de rien.

(Illustration du patois de Martine et de ses défauts de prononciation. On note aussi le recours à une phrase de bon sens qui a des allures de sophisme, ou tout au moins d'évidence. Martine aussi se montre philosophe !)

PHILAMINTE

Hé bien ! ne voilà pas encore de son style ?
Ne servent pas de rien !

BÉLISE

Ô cervelle indocile !
Faut-il qu'avec les soins qu'on prend incessamment,
On ne te puisse apprendre à parler congrûment ?
De *pas* mis avec *rien* tu fais la récidive,
Et c'est, comme on t'a dit, trop d'une négative.

(Bélise propose en direct une leçon de grammaire pour réprimander Martine… Les femmes savantes deviennent des livres vivants !)

MARTINE

Mon Dieu ! je n'avons pas étugué comme vous,
Et je parlons tout droit comme on parle cheux nous.

(Jeu comique sur les sonorités et l'alexandrin : ce vers noble est ici l'occasion d'une phrase incorrecte grammaticalement, appartenant à un registre familier, et déformant le son même des mots.)

PHILAMINTE

Ah ! peut-on y tenir ?

BÉLISE

Quel solécisme horrible !

PHILAMINTE

En voilà pour tuer une oreille sensible.

BÉLISE

Ton esprit, je l'avoue, est bien matériel.
Je n'est qu'un singulier, *avons* est pluriel.
Veux-tu toute ta vie offenser la grammaire ?

(Effet de comique de répétition : une nouvelle fois, Bélise prend en charge la leçon de grammaire ! On note aussi la personnification cocasse de la grammaire...)

MARTINE

Qui parle d'offenser grand-mère ni grand-père ?

(Double effet comique ici qui repose sur un jeu efficace : Martine, qui prononce mal, entend donc, aussi, mal. Dans « grammaire », elle entend « grand-mère ». Cet indice sur la rudesse de sa prononciation peut être un véritable appui de jeu pour la comédienne qui jouera Martine. Son erreur est également due à la figure de style employée par Bélise. On ne doit pouvoir offenser qu'une personne, ainsi Martine se méprend, ne possédant pas les outils stylistiques que maîtrisent Philaminte et Bélise.)

PHILAMINTE

Ô Ciel !

Grammaire est prise à contre sens par toi,

Et je t'ai dit déjà d'où vient ce mot.

(Philaminte, exaspérée, en vient presque à s'adresser à elle comme à une étrangère qui ne parlerait pas du tout la même langue. On peut accentuer cela pour outrer encore le comique de la scène.)

MARTINE

Ma foi !

Qu'il vienne de Chaillot, d'Auteuil, ou de Pontoise,
Cela ne me fait rien.

(DEUXIÈME ERREUR DE MARTINE : ELLE PREND L'EXPRESSION « VENIR DE » AU PREMIER DEGRÉ ET N'EN SAISIT PAS L'AUTRE SENS. MOLIÈRE JOUE ICI AVEC FINESSE SUR LA LANGUE EN PRENANT LES PERSONNAGES DE PHILAMINTE ET BÉLISE À LEUR PROPRE JEU : MARTINE, SANS LE SAVOIR, FORME UN ZEUGME ! À LA MANIÈRE DE M. JOURDAIN, ON POURRAIT DIRE QU'ELLE UTILISE DES FIGURES DE STYLE SANS LE SAVOIR !)

BÉLISE

Quelle âme villageoise !

La grammaire, du verbe et du nominatif,
Comme de l'adjectif avec le substantif,
Nous enseigne les lois.

MARTINE

J'ai, Madame, à vous dire

Que je ne connais point ces gens-là.

(BÉLISE ENCORE UNE FOIS, A PERSONNALISÉ LA GRAMMAIRE, ET DE NOUVEAU, MARTINE RÉAGIT AU PREMIER DEGRÉ. DERRIÈRE LA PRÉTENDUE NAÏVETÉ DE MARTINE, MOLIÈRE S'EN PREND ICI À L'USAGE PÉDANT DU SAVOIR.)

PHILAMINTE

Quel martyre !

BÉLISE

Ce sont les noms des mots, et l'on doit regarder
En quoi c'est qu'il les faut faire ensemble accorder.

(LES MOTS AUSSI PORTENT UN NOM… COMME LES GENS…)

MARTINE

Qu'ils s'accordent entre eux, ou se gourment, qu'importe ?

PHILAMINTE, *à sa sœur.*

Eh ! mon Dieu ! finissez un discours de la sorte.

(À son mari.)

Vous ne voulez pas, vous, me la faire sortir ?

CHRYSALE

Si fait. À son caprice il me faut consentir.
Va, ne l'irrite point : retire-toi, Martine.

PHILAMINTE

Comment ? vous avez peur d'offenser la coquine ?
Vous lui parlez d'un ton tout à fait obligeant ?

CHRYSALE

Moi ? point. Allons, sortez. *(Bas.)* Va-t'en, ma pauvre enfant.

(Chrysale est captif de sa femme au point qu'il ne peut prendre une décision raisonnée et va jusqu'à humilier Martine alors qu'il désapprouve Philaminte. C'est lui qui apporte la résolution de la scène, mais sa lâcheté cause une injustice sociale : il préfère prononcer un mauvais jugement plutôt que braver sa femme. Cette soumission a des implications politiques inquiétantes et rend compte, plus généralement, d'un comportement arbitraire guidé par la peur et le suivisme.)

Achevé d'imprimer en Italie par Grafica Veneta
en août 2016
Dépôt légal mai 2015
EAN 9782290110324
OTP L21ELLN000687C002

—

Ce texte est composé en Lemonde journal et en Akkurat

—

Conception des principes de mise en page :
mecano, Laurent Batard

—

Composition : PCA

—

ÉDITIONS J'AI LU
87, quai Panhard-et-Levassor, 75013 Paris
Diffusion France et étranger : Flammarion

Librio
585